清 陳鏡伊編

道德叢書 之一

模範人生觀

勤學篇、立志篇
器量篇、事師篇
同學篇、交友篇
居鄉篇、還金篇
酒色篇

世界書局

道德叢書

弘化社恭印

道德叢書之一

模範人生觀

求學曰勤
事師曰敬
待人曰恕
模範人生

立志曰正
交友曰義
臨財曰廉
其庶幾矣

道德叢書

十五卷

程滄署耑

道德根據理論切合事情人生所不可須臾離也而或目之為迂闊陳舊若大牢籠其外而遺其內未暇詳析明辨徒據新知以吐棄云爾夫新知固足以增長學識顯秘闡微有時代之價值但欲求著其效擅其巧仍宜道德相輔而後

能不妄所施不昧所欲益思想之美惡人情之邪正事理之向背國力之強弱世德之變化咸繫乎道德道德廢弛則所謂聰知者適足以爲惡助長雖繁不彰而況道德可以濟刑法之窮所謂大象無形也嗚呼世人之不識

道德也久矣敬人之要惑乎道德之可崇也亦難矣然志物當前人宜猛省亦未始非物蔽而發之時本會顧君恩義閩徵海門陳鏡伊先生輯道德叢書十五卷蒐羅宏博類別條分可資以援古證今遷善改過互相勉勵共

識道循而知國治民休國不必求物質
斷斷較短長也輒攄至識用抒愚悃
覽是編者其能無疑我言則幸矣
癸酉冬仲　嘉興王震

人莫不知西人稱吾為東方四千餘年文明大古國，吾孔子之道，文明之源泉也，溫良恭儉仁讓孝弟忠信禮義廉恥，為吾東方獨有之學說，即獨有之文明，相在爾室，不愧屋漏，吾孔子之道之範圍人心為此，自一二盲目趨時之士，持攻孔廢經之

虓、驅人子來、順風而號、而机敗者後無識
無學、茫然不知治國之本、在人才與道德、
於是國步艱難、人心陷溺、情慾日恣、蕩羅
盡決、而中國遂成為土匪禽獸之國矣、海
门陳君訓丹、持其尊人鏡伊先生所輯
道德叢書十五卷、示王一亭先生、先生

見而喜之，為籌款印行，並繪圖十三幀，冠於卷首，以助讀者興趣，用心可謂苦矣，訓丹隨事校勘，亘役垂六閱月，書成，問序於予，予謂天下事，千人成之不足，一人毀之有餘，千日成之不足，一日毀之有餘，今吾國既盡棄其學而學外人，外人固崇尚道德有一國之強弱視人民之德行之言。若吾孔子、則曰、君子無終食之間違仁、曰、志於道、據於德、曰、君子之道四、曰、天下之達道五、約而言之、不外溫良恭儉讓孝和忠信禮義廉恥之義、而蓄道德能文章、尤為吾國學者立身行事之準則、豈過德之與人生，固不可須臾離也。幸讀是書者，體陳王二先生之用心，懷東方文明大古國之美譽，並三復吾孔子惟仁人能好人，能惡人之言，鳴鼓而攻此非聖無法之徒，以期教育革新，人才輩出，挽狂瀾於既倒。庶得生存於此弱肉強食之世

界哉、是為序、

孔子二千四百八十四年癸酉程湑

勸善之書、人往往吹毛求疵、嗤為迷信、此乃聖人刑賞窮而作春秋筆削窮而作地獄之意、淺識者烏足以喻此、

附錄二十二年十二月二十四日申報自由談載徐懋庸君讀顏氏家訓筆記一則於後　閱者當知今日教育家貽誤青年之大　眞可痛恨

徐氏語錄如下（梁啓超　胡適之先生們　大開研究國學者必讀的書目的時候　我還只有十四五歲　不知怎的　那時本來很有研究國學之志　但一看到那些書目　反而被嚇倒　從此就對國學斷了念頭　只在那些書目中選了幾部詩文集雜亂無章地讀了一下　想在文章上得點益　至於宋明理學以及別的關於道德修養的書　一本也沒有讀　現在看來　不獨我是這樣　一般青年在修養方面　幾乎全是側重於文章而忽略了道德　故而人心不古　青年們日趨於浮薄　尤其是做做文章的青年　大部分常欠厚道　最近有人對青

年提出了道德的修養　還推薦了作爲修養的基礎的好書　我以爲是很有意思的　這比同時提出的怎樣作文學的修養的問題　實在重要得多　至少是我自己　有讀這些道德書的必要）（下略）

序

因果者。世出世間。聖人平治天下。度脫衆生之大權也。孔子之贊周易也。最初卽曰。「積善之家。必有餘慶。積不善之家。必有餘殃」箕子之陳洪範也。末後方曰。「嚮用五福。威用六極」。五福六極。乃前生現世因果之義。世儒不知因果。通歸于王政。然則性情之凶暴。壽命之短促。與身之疾病。心之憂患。境遇之貧窮。面貌之醜惡。身體之孱弱。皆王政所爲乎。其誣王政而悖聖人之心法也大矣。聖人修己治人之道。以明明德爲本。明明德之初步工夫。卽是格物。物卽貪瞋癡慢之人欲也。格而去之。則本有良知。自然顯現。良知顯現。則不能不意誠心正而身修矣。學者由此源頭而學。

方爲實學。中下之人。不能去人欲以誠意正心修身。則以三世因果。六道輪迴之實理實事。與之講說。必致勉力爲善。加意去惡。以顏子之四勿。與曾子之三省。爲居心動念行事之寶鑑。自可漸至人欲淨盡。克明明德之地位矣。後儒忌說因果輪迴。已失督迫人不得不誠意正心修身之權。又特唱高調。以自鳴其造詣之高。謂有所爲而爲善。卽是惡人。死之後。形既朽滅。神亦飄散。縱有剉燒舂磨。將何所施。三世因果。六道輪迴。乃佛騙愚夫愚婦信奉其教之誑語。由此語故。善無以勸。惡無以懲。縱有治世之法。皆屬皮毛。了無根本。故致歐風東漸。舉中國聖人所立之法。而悉棄之。以學泰西之新文化。而變本加厲。廢經廢倫。廢孝免恥。殺父殺母。□□□□之惡劇。悉皆演出。則人道或幾乎息矣。于是有心世道人心之人。羣起而挽救之。或提倡佛學。或著述善書。無非欲人咸知三世因果。六道輪迴。改過遷善。閑邪存誠。敦行孝弟忠信禮義廉恥之八德。練習格致。誠正修齊治平之八事。以自明其明德。而止于至善之地。自覺其覺心。而復乎本有之天。俾人禍息而禮讓興行。天心順而雨暘自若。世返唐虞。人歸賢善。此各處有心人之救世深心也。海門陳鏡伊先生。博學多聞。注重躬行實踐。明因識果。亟思牖世覺民。所著道德叢書。凡十五種。詞意圓通。事理確鑿。允爲痌瘝之良藥。迷途之導師。若能刊印廣佈。其利益何可稱量。願有心力口力財力者。咸註意焉。

民國二十二年癸酉秋伊尹躬耕處僧釋印光謹撰

商鞅巧變法
決囚渭水皆成赤作法商
鞅太不仁末路倉皇終自
斃須知緣果有先因

酷虐殘暴

苛重酷虐殘暴酒酣慣把嚴刑試鼎鑊鞭笞供嘻聲果報昭昭曾幾日寧人切莫太癡瞋

冤魂告狀

魏輝寃魂告狀

魏輝治獄本無偏
寃抑無端到眼前
心意散人難瞑目
故將遺恨訴黃泉

兄弟爭死

王還兄弟爭死

且還且遜真友愛
臨危爭死見深情
那知盜跖天良現
並縱回家弟與兄

還金拜相

裴度還金拜相
休言細事還縉紱終見高官
拜相從陰德纍纍無盡施
一門五子紹清風

駿犬通

陸機駿犬通鄉
陸機家問無由達駿犬攜之
作往還事主忠則能體
會默心來必比人優

畫荻教子

歐母畫荻教子

窮居守節傳歐母
畫荻當年辛可憐
似此劬勞終有報
漫言默默若蒼天

決獄仁恕

歐陽觀決獄仁恕
澤逮定讞常嗟謂死獄求
生不可能此意自應昌歐
後文章道德兩嶢嶒

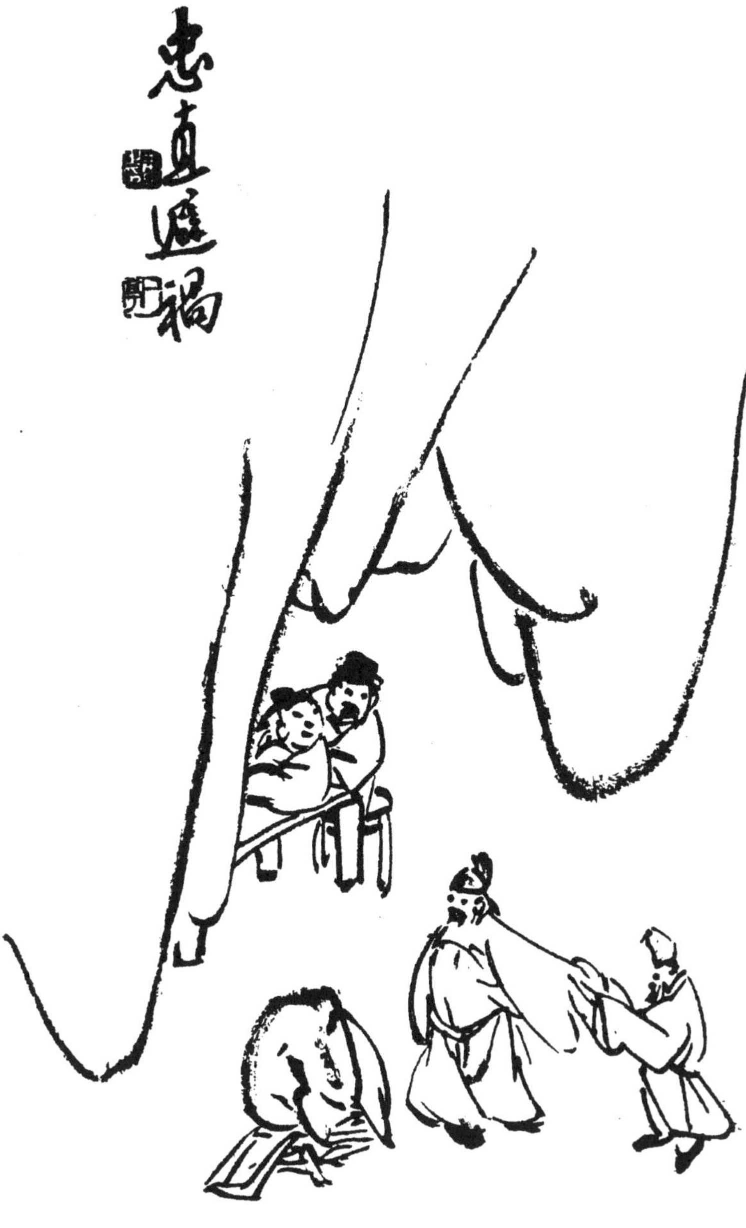
忠直遭禍

文彥博忠直避禍
文以正建平妖議大石碑
從履庭前居事福祥來
庇護一生忠耿植心田

人民愛戴

司馬溫公人民愛戴
未看不可對人言一語能令
千古傳莫怪同風同仰望
萬民愛戴比青天

出米施粥

陳堯佐出米施粥

宋陳堯佐知壽州饑年施粥予人謀盡心拯濟天應驗多福從來只自求

散財

竇燕山散財
一自散財培厚德連生五子
畫成名燕山佳話人應識
共解紅囊及眾生

孝順感賊

積祿孫孝順感賊
乞免先母以身代盜賊也萌
不忍心眼看世風悲日下
不援往事作良箴

功同宰相

范文正公同宰相
不能為相便為醫醫國醫
人濟時有志竟成同企慕
先憂後樂幾人知

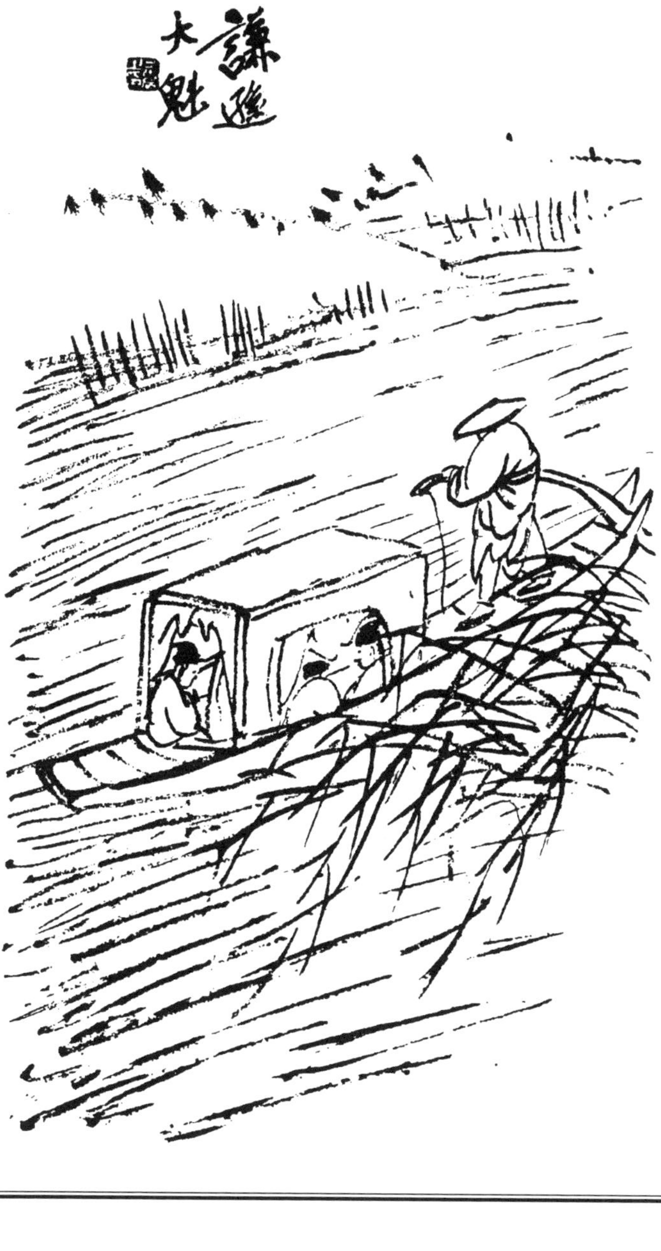
謙遜
大魁

曹鶴齡謙遜大魁
簡默無言人嘆之誰知磅礴
看文辭挂名金榜後非偶
慚愧同舟細論時

著者陳鏡伊先生

程清

吾父善氣迎人。訓導青年學子。除灌輸文藝學識外。尤斤斤於涵養道德。晚近家居。專以勸善爲事。與子言孝。與弟言悌。與親族言睦。與朋友言義。雖舌敝唇焦。猶無倦容。又以口舌之效。囿於一地。限於一時。不克行遠而傳後。乃取古人嘉言懿行。分別門類。編道德叢書十五册。删除神話。注重事實。法家所謂證據確鑿也。閱之興味濃郁。如讀勸世小說。吾知青年必可收效於默化。學校可爲訓育之助。社會間頹風敗俗。亦能稍挽於萬一。去歲脫稿後。命宇新携滬募資付印。應者寥寥。今夏幸承王一亭先生嘉許。設法製版。首先印送千部。今版已製就。隨時可印。宇新旣欣吾父勸世之志得酬。復感佩一亭先生之與人爲善。書成。謹誌顛末如此。二十二年十二月　海門陳宇新識

模範人生觀

道德叢書之一

江蘇海門陳鏡伊編

目錄

（一）勤學篇

藏燈潛讀　置燈帳中

目不交睫　晝夜不出戶

閉閣不越戶　不展家書

不覺暴雨　不理喧擾

不顧羹冷　編蒲代册

削竹爲簡　取荻爲筆

燒木爲筆　挾書樵牧

懸書担頭　牛角掛書

紡機置書　帶經而鋤

約繩貲讀　牛棚刻苦

倚壁聽講　借經供閱

（二） 立志篇

澄清天下
正心
誠實 二則
正直和順
守時
奮發
勇往
堅忍
有恆
勤儉
精密

忠孝
直道
保守良心
信實
勞動
勤勉
刻苦
剛毅
惜時
深思
審慎

（三）器量篇

(四) 事師篇

(一) 善例

(二) 惡例

(五) 同學篇

(一) 善例

厚待同學　互爲僕從

師事同學　衛同學妻

教同學子　侍同學疾

(二) 惡例

妒忌同學 四則

(六) 交友篇

不負友托 二則　爲友存孤 三則

不與友較　約期不爽
厚遇舊識　擇交審慎
擇交宜慎　交友不慎
設計害友　忘恩負義 二則
忘情害友 三則　借端訐友
勢利朋友　奴視友子

（七）居鄉篇

革除官派 四則　移風易俗
鄉里感化　邑里化之
爲鄉請命　移費利鄉

（八）還金篇

（九）酒色篇

模範人生觀

道德叢書之一

江蘇海門陳鏡伊編

(一) 勤學篇

鑿壁引光

漢匡衡家貧無燭隣舍有燭而光不逮衡乃鑿壁引光照而讀書邑有大姓家富多書衡乃爲之賃作而不求償願得書徧讀之主人感歎資給以書遂成大儒後登相位

升屋映月

南齊江泌少時性勤力學家貧油不能常繼每夕隨月讀書及至月斜乃升屋以盡其餘光竟夜不寐

囊螢藉光

晉車允家貧無力購油備燈夜讀乃遍覓螢火置于疏浪白絹所縫之透光囊中藉其光以供夜誦後官至尙書（古時玻璃未發明惟有白絹製品可以透光）

映雪作燈

晉孫康寒夜無燈供讀携書詣庭映照雪光藉以觀覽後官至御史大夫

燃薪代燭

明楊爵年二十始讀書家貧燃薪代燭耕隴上挾册以讀嘉靖八年登進士第擢御史以母老歸養母喪廬墓冬月笋生推車糞田妻饁于旁見者不知其爲御史也

懸樑防睡

晉孫敬性嗜學。嘗閉戶勤讀。孜孜不怠。常恐夜深倦睡。乃以繩繫頭髮懸于梁上以防困睡。時人號之曰「閉戶先生」

錐股資警

蘇秦游說各國。不遇而歸。爲嫂妻輕視。發奮讀書。每值昏倦之時。將利錐刺股以資警惕。後同時掛六國相印。名震天下。

圓枕驚睡

宋司馬溫公。敎子孝友恭儉。忠信正直。居處必有法。動作必有禮。其被服如陋巷之士。一室蕭然。圖書盈几。終日靜坐。淡然無欲。常以圓木爲警枕。少睡則枕轉而覺。覺則復起攻書。爲兒時動止威儀如老成者。七歲聞講左氏春秋。大愛之。退與家人講。卽了大義。自是手不釋卷。至不知飢渴寒暑。其勤如此。

夜不設榻

宋黃榦字直卿福州閩縣人榦見劉清之清之奇之命受業朱熹榦家法嚴重乃以白母卽日行榦自見熹夜不設榻不解帶少倦則微坐一倚或至達曙熹語人曰「直卿志堅思苦與之處甚有益」遂以其子妻榦

夜不就枕

邵雍字堯夫河南人少時自雄其才慷慨欲樹功名於書無所不讀始爲學卽堅苦刻厲寒不爐暑不扇夜不就枕者數年

藏燈潛讀

北齊祖瑩年八歲好讀書父母恐成疾禁之不止嘗密藏火待父母寢後方燃燈夜讀以衣作被遮塞窗戶恐漏光爲家人所覺由

是聲譽益甚。內外呼爲聖小兒。瑩又嘗曰：『文章須自成一家機軸。自成一家風骨。何能與人同生活也。』年十二。爲中書學士。後遷祭酒。

置燈帳中

宋范純仁天資頴異。晝夜肄業。置燈帳中。夜深不寐。後公顯貴。夫人藏其帳頂如墨色。持以示子孫曰：『此汝祖父少時勤學燈烟跡也。』

目不交睫

英人老同農家子也。晝夜苦學。或有所不得。則徹夜達旦。目不交睫。以爲常。初習法語。善之。既復習日耳曼語。亦善之。中年兩度遊歷歐洲各邦。研究農圃種藝之學。反而撰農圃全書。書成卷帙浩

繁爲世所重。以上夜晚勤學

晝夜不出戶

唐陽城好學。貧不能得書。求爲吏。隸集賢院。竊書讀之。晝夜不出戶。六年無所不通。

閉閤不越戶

宋張九成年八歲。默誦六經。通大旨。十四游學校。閉閤讀書。寒折膠。暑鑠金。不越戶限。比舍穿隙以窺。則見斂膝端坐。對大編若與神明爲伍。遂各相敬服而師尊之。官至禮部侍郎。（注）比舍比隣也

不展家書

宋胡環布衣時。與孫明復蔡守道爲友。讀書泰山。攻苦食淡。終夜不寐。十年不歸。得家書見上有平安二字。卽致之簡中。不復展讀

恐分其心也

不覺暴雨

後漢高鳳少躭學家以農爲業妻常之田晒麥于庭令鳳護雞時天暴雨鳳持竿誦經麥爲潦水所漂妻還怪問鳳方悟讀書晝夜不息遂成名儒元和間教授西唐山中

不理喧擾

唐狄仁傑爲兒時門下有被盜者吏詰衆爭辨對仁傑誦書不置吏讓之仁傑曰「黃卷中方與聖賢對何暇偶俗吏語也」後傑爲丞相有功於唐封梁公

不顧羹冷

宋劉恕嗜學家人呼之食至羹冷不顧講求六經夜則不寐尋思

義理。後爲和州守。宋次道家多書。恕往借觀之。次道設酒待之。恕曰：「此大費吾事。願悉撤去。」乃獨閉閣。晝夜讀書。旬日盡其書而去。　以上專心勤學

編蒲代册

古時無紙。又無印刷。非絹帛皮幣。簡册不能鈔錄。非世家無藏書。非富室無力購書。漢路溫舒。家貧乏書。牧羊于大澤。披取蒲草。編織成席。以代簡册。借書抄讀。卒成通儒。

削竹爲簡

漢公孫弘。家貧無力置書。年五十。尙爲人牧豕。伐竹去皮。借書抄刻。勤讀不倦。後功成名顯。位至卿相。

取荻爲筆

宋歐陽修生四歲而孤母韓國夫人守節自誓親敎修讀書家貧乏紙筆以荻畫地學字公敏悟遇人一覽輒成誦比成人舉進士兩試國子監一試禮部皆得第後爲翰林學士

燒木爲筆

居極窮極困之境苟能委心自脩決不足阻遏其進步英人馬來語言學之名人也其先家貧爲牧人子無筆墨燒細木爲筆書字於羊毛梳上藉爲學習古來有名之士類皆生計艱難作勞工以資糊口片刻之暇卽從事於學問其困阨情形譬如白雪遍於郊原飛鳥翔其上而覓食然所脩之業終得成就者皆其希望未來有自信之心而不爲境所挫耳維廉章罷士有名之著書家也嘗自述其少時貧困以激勵衆少年曰「予始爲書賈之徒自曉至

晚。事務紛集。無少暇晷。惟有減睡眠之時刻。而專力於理學及其他有用之學科。自今日囘念其時。頗以不得再遇此境爲恨。蓋安坐華屋之中。雖百度備具。而反不若陋室學習時有無限之樂趣也。」

挾書樵牧

明羅倫五歲。隨母入園。果落。衆競取。倫獨待賜而後受。家貧樵牧。挾書誦不輟。及爲諸生。知府張瑄憫其貧。周之粟。不受。成化二年廷試對策。直斥時弊。名震都下。擢第一。授修撰。

懸書担頭

漢朱買臣家貧。採樵度日。嗜學無厭。砍柴之時。置書林下。且樵且讀。負薪而歸。懸書担頭。且誦且行。後仕至會稽太守。爲前漢名臣。

牛角掛書

隋李密貧而好學在家牧牛乘牛之背手書流覽幷將餘冊掛于牛角之上預備供讀揚越公見而奇之薦之于朝後爲名卿

紡機置書

英之名人律賓斯敦家貧少時嘗操作於製棉工場受値則購拉丁文法書於夜中學之置書於紡機上而誦讀不倦凡有用之學皆務蘊積於胸中又往醫學會習刀圭其費全出自工作之所得並不受他人一錢之助律氏後敘其實曰「余自顧往昔作勞苦之工業正天予我造就之機會也」

帶經而鋤

漢倪寬受業于孔安國貧無資用常爲弟子都養時行賃作帶經

而鋤少休息輒誦讀後至御史大夫（注）都養服賤役也書僮之類

約繩資讀

漢劉寔少貧賣牛衣以自給好學手約繩口誦書博通古今清身潔己行無瑕玷

牛棚刻苦

朱昂海鹽人家貧聞海寧祝萃以員外郎家居教授生徒往從之先生曰「生來晚書室已滿惟室旁一牛棚幸無牛可居乎」昂唯唯先生使人掃除昂輒解衣共作爲生徒中最刻苦外披一敝袍中衣敗絮日夜誦讀不輟先生持教嚴偶施夏楚必跪而受之絕無怨容後官至方伯

倚壁聽講

南史顧歡家貧無以受業乃于學舍後倚壁聽講無遺忘者夕則燃松節燭書而讀或然糠代燈誦覽不倦

借經供閱

宋張方平年十三入遊泮宮穎悟絕人家貧無書常就人借經史旬日自還之曰「吾已得詳矣」凡書皆一閱終身不再讀屬文未嘗起草宋綬蔡齊往見之（宋綬蔡齊皆名士也）曰「天下之奇才也」共薦之

賃傭力學

宋張繹幼值家貧未知讀書傭力于市忽聞邑官傳道而過心竊異之因問人曰「此人何以至此」答曰「讀書至此也」繹乃發憤力學受業伊川先生之門（程灝號伊川先生）卒授伊洛淵源之學伊川

先生每謂人曰：『吾今晚得此二子也。（指釋與尹敦也）當盡授業于二子焉。

沙排八卦

宋朱熹（號晦菴）八歲通孝經大義。書字其上曰：『若不如此。便不成人』間從羣兒嬉戲獨以沙排八卦端然默視後通義學登第爲秘閣修撰。

遍地是師（一）

吾人生於天地之間無論所值何時所居何地所蒞何事所接何物無一非增長學問英人斯土禮行年四十不知學鄰有業釀酒者普氏偶至其家見氣之光浮流酒間起泡已而仍消滅異之歸而檢視書籍亦不解其故因出己意製一器得其異徵卽此見彼遂得查出許多氣質學士李本業木業偶於一寺院聞有操希伯

來語者。心爲所傾動。思習之。迺於修復几案之餘。出廉直。購希伯來文法書之古本。不假師傳。習而通之。大未之研究化學也。苦於無器具。迺取鍋釜之類。或其師之玻璃餅以試驗之。會有外科醫某携其藥具。避難於此。與大未相識。因舉古式水筒相贈。大未喜而持歸。即以之作氣筒。爲察熱學性質之具。其徒發拉第。釘書工人也。始以古玻璃瓶爲電氣之經驗。時有學會中人。嘗至發氏邸肆。見發氏方釘書。目輒注視其電氣一章。彼知其學之誠也。遂援引之以入學會。發氏四次聞大未之講說。悉筆之於書。時或以之示大未。大未爲之驚歎。大未卒。遂繼大未任學士之職。古未耶幼時。偶見蒲豐之書稿。觸其志。仿粉本而描繪之。且習加彩色之法。年十八。客於諸曼的。其地濱海。以故殊形異態之水族。常常有之。

一日徘徊沙上忽見有一物蹣跚而行離水登陸視之烏賊也其狀新奇捕得之解剖而察其內體自是遂查究生物之柔體而無骨節者古氏無攷證之書惟以所接於目者深印於心而已居斯二年以水族之生物與近地所得生物之化石比較之解剖而熟視之遂創生物分類法不因前人之說而開後日革新之路聲聞乃隆隆起一千八百年任法國大學生物教師由是觀之遊覽之際操作之暇交際之餘談論之次閒適之後皆學問之時也酒保之家寺院之地廚竈之旁書肆之中沙磧之上皆學問之地也目所習見耳所習聞口所習語手所習勞心所習知皆學問之事也膀胱玻璃斷簡殘編鍋釜水筒電條古瓶圖畫蟲魚皆學問之物也古之名人果學問之人也彼芸芸者亦皆學問之人也其知所

務哉其所知尚哉

遍地是師（二）

天地間一大學校也隨處可以求學吾身無論在庭戶之前街衢之旁市肆之中織機之上犂鋤之下書室之間工場之內凡稠人廣衆事機紛劇之地皆吾身審察閱歷動作之所以與彼大學校之教授法學習法相比例彼僅初學之入門而已相去豈止霄壤哉倍根之言曰：『誦讀書籍研究文字不能供眞實之用彼才智之人豈盡出于學哉故欲爲眞實有用之學則必就實事實物上審察閱歷動作而得之』斯說也不惟握人生實用之要領即修養心靈之道亦不外此故爲之斷曰：『人之玉成其身者得自審察者多於錄言行得自閱歷者多於習文藝得自動作者多於讀

書。卷。

隨處留心（一）

英人瓦德木工子也。以製算具為生。見邸店置有象限儀。暇輒就觀。以是閱得生物學及天學之門戶。素羸弱。宿疾月輒發。欲自醫。故迺究生物體質學。深達其奧窾。一日獨步野外。見喬木森挺。綠草葱芊。舉目四顧。欣賞久之。因考察植物學。會有人使造風琴。觸其思。遂習音學。無何以善造樂器聞。因修理牛國民所作蒸氣機器。迺講求前人發明熱力之用。與夫蒸氣之所以漲縮之故。乃製造機器。應用于各業。遂成今日之機器世界。

隨處留心（二）

英人彌爾列爾有名之地學家也。父為駕舟者。溺斃於海。時彌氏甫數齡。其母守苦節。撫養之。博學好問。其智識藝術。皆合集瑣屑而成。或自傭工。或自漁夫。或自舟子。或自木工。既長。習業於石工之家。爲古洛馬底採石礦之工人。精心鑑別。某日有一礦峒下爲深赤石。上爲淺赤泥。彌氏一見而注意焉。思於此相比例而分等級。時古洛馬底海岸。多有爲風潮齧蝕之古石。彌氏務羅致之。尤好搜求魚類蕨類等形之化石。久之積研究之功。始著爲書。當時地學大家。皆稱之。

觸景生思

英人加利列窩。篤學之士也。一日遊於畢撒之寺院。適住持取懸於簷下之燈而注油其中。既復安置如初。惟因感動。遂搖蕩不已。加氏見之。凝睇良久。已而復沈思。逾時。因思創造搖擺器以測時。

之遲速歸而研究其理焉凡五十年器告成遂爲測算覘天必用之儀器又見和蘭造眼鏡之工人新製一器能視隔遠之物加氏迺考察其理創造千里鏡自是得明察星象立今世天學之基礎伯拉溫亦英人嘗步園中偶見蜘蛛之絲縷縷當所行之路而橫懸因悟架橋之法依法試之果靈捷遂造鐵懸橋瓦德思自古來德（蘇國大阿之名）以管引水而上但考究經年終不得造管之術某日於案頭薦龍蝦尚未及半忽自語曰「此物之皮殼非如水管乎」仿之特造鐵管事竟成伯路湼爾之造爹迷士河底之地道也以受教於昆蟲之微類而後成嘗見蠹船小蟲其首堅而銳以其首於木中鑽細孔孔皆繚曲而窈深如拱廊之路既成更以如漆之物塗四方上下而居其中伯氏頓感悟迺仿其式而爲之未幾地道

成得奏其功哥倫布以欲探覓新世界故嘗航海西行久之無所見舟子懼食之匆繼也心常怏怏數欲返棹而未得其間一日哥倫布憑欄俯視適見有海藻逐流而下知已近新世界喜得達其目的

吳七德在獄中時偶煑水於器水熱沸蓋忽吹落大異之考究其理始知有蒸氣之力　以上隨處勤學

衣不蔽形

郭林宗好學家貧游學無貲就姊夫處貸錢五千乃之成皋從師受業併日而食衣不蔽形嘗以蓋幅自幛出入出則護前入則掩後

無履無衣

英人戎伯律敦。以著書名者也。父以燒麵營生。伯律敦生時。父適以業衰貲罄。伯律敦傭於其伯某之酒家。因病。其伯給以二奇尾（銀錢之名）揮使去。伯律敦足無履。身無衣。跣行街衢間。嗣執役於倫敦酒保家。晨昏習于窟室中。久之以積勞故。肢體違和。後爲某律師之書手。每七日得十五先零而已。不能購多書。時向書肆借閱。冬夜乏炭。則讀書帳中。以避寒氣。年二十八。即著卷行世。厥後五十年間。益務以著述爲己業。所著先後共八十七種。可稱勤矣。

刻志從學

任敬臣五歲喪母。至哀毀。問父曰：『若何可以報母』。曰：『顯親揚名可也』。乃刻志從學。卒成名。

刻苦用功

趙方崖幼時。夜讀書。嘗備炭火入室烘足。其祖次山見之。叱曰：「少年讀書。當習勤苦。何畏寒之甚耶。凡人未老而欲享老人之福。則必夭壽。未貴而欲享貴人之福。則終身不貴」。方崖書諸紳。刻苦用功。後官至大司寇。

斷機勵學（一）

周孟軻（字子輿鄒人）三歲喪父。母仉氏有賢德。軻從師廢學而歸。母怒。以刀斷其機曰：「子之廢學。如吾之斷機。堅志可也」。軻遂旦夕苦學不息。後成亞聖。遊於齊梁諸國。不合。退而與萬章之徒著作孟子七篇。

斷機勵學（二）

戰國樂羊子遠尋師學。一年來歸。妻問其故。羊子曰：「久出懷思。

無他意也。』妻乃引刀斷機而言曰：『此織始于蠶絲。成于機杼。一絲而累。以至于寸。累寸不已。遂成丈匹。今吾斷斯機也。則損成功。廢時日。夫子積學。當日知其所亡。以就懿德。如中道歸而廢學。何異斷斯機乎。』羊子感悟。妻言。復還終業。七年不返。

磨針感悟

唐李白（字太白隴西人）少讀書。未成棄去。道逢一老嫗。磨鐵杵。白問將欲何用。嫗曰：『欲作針。』白感其言。遂囘。仍讀。後爲翰林供奉。

鑄硯示志

晉桑維翰（五代時人）形醜貌怪。身短面長。臨鑑自奇曰：『七尺之軀。不如一尺之面。』屢舉進士。試官惡其姓與喪字同音。不取。或勸改業。翰乃鑄一鐵硯。以示人曰：『硯穿則易之。』卒以進士及第。其志堅如此。

百日一經

魏舒少時不爲鄉曲所知，常着韋衣，入山澤，以漁獵爲事。忽一日自課百日習一經，輒登選，遷尙書郎。時朝廷欲汰郎官非才者，舒即持襆被出曰：『吾其人也』。後將軍鍾毓每集參往射，舒爲長史，常與記籌。一日射偶不足，命舒充之，容範閑雅，發無不中，舉座愕然，莫有敵者。舒絕無矜色，毓謝而歎曰：『吾之不足以盡卿才，有如此射矣』。後舒領司徒。

愛惜分陰

晉陶侃常語人曰：『大禹聖者，乃惜寸陰；至于衆人，當惜分陰。豈可逸遊荒醉，生無益于時，死無聞于後，是自棄也』。參佐有以談戲廢事者。取其酒器蒲博之具。投之江。吏將則加鞭扑。曰：「樗蒱者牧猪奴戲耳。諸君國器。何以為此。」

貧賤成名（一）

歐美以天學名者。如哥白尼客不列爾白爾士奈端拉不禮士等。或為人僕。或為棄兒。或崛起於屠沽之輩。或奮興乎耕牧之家。以卓絕非常之人。蓄卓絕非常之志。成卓絕非常之學。負卓絕非常之名。此無他。貧賤為之也。彼之槃銅山藏金穴。戀戀於貲財而妨礙其進修者。其間相去何遠哉。拉額蘭日亦天學算術之名家。其父以億事不中。傾蕩家產。至赤貧。拉氏每以後日之名利。歸功於幼小之貧困。嘗曰：「使予而為守錢虜。則不得為天學算術名家」由是觀之。可知富貴為學問之蟊賊。貧賤為功修之媒介。有志

之士敬而聽諸

貧賤成名（二）

迍邅淹蹇造物之所以磨厲才俊也險阻艱難上帝之所以鼓動豪傑也人不必高門貴胄位尊多金乃能生樹駿烈沒著鴻猷茍學積於躬業顯於世匹夫可爭君相之功韋布且奪王侯之氣名人起于寒微中外皆然歐美名家起自日工者有若測算家伯倫德例海客古克詩人薄爾尼斯等是起自陶人者有若地學博士彌爾列爾著述家及雕像家亞蘭堪甯舍等是起自木工者有若建築家若涅士造鐘家赫利孫生物學家戎翰他畫家洛摸尼窩比等是起自織工者有若算學家西摸孫雕像工倍根動物學家維爾孫詩人丹納喜爾等是起自屨人者有若電氣博士斯打戎

文章家撒母耳德留及福德博物學家義德瓦圖等是起自縫人者有若史學家戎斯到畫家若孫合衆國大頭領安德留戎孫等是起自宰夫者有若法學家烏爾西垤夫亞堅犀德客爾古懷的等是此皆以一己之勤能起寒微而望隆全球者也

發憤 (一)

律敦英人少機警長於辨論以文學自命居恆閉戶讀書不交人事年逾冠曾撰歌詞小說皆爲人所毀律敦益潛心書籍施架排次大加覽誦案轡文場環絡藻府者又數年乃一鳴驚人其書初出卽傳誦士林一時流輩爲之斂衽僉曰:『學海千尋辭林萬葉扶宗立教海外一人而已』其後撰著尤多所著有史類文章小說詩詞戲曲之類。至今人猶寶之。

發憤（二）

英人埕士禮立少與律敦同學。工詞章。馳騁文場。屢不得志。初著二書。爲世所謗目以狂言。埕氏喟然歎曰：「人之侮我。非侮我也。實勉我也。」迺夜發憤。陳篋數十。伏而讀之。如是者經年。復著一書以行世。版出。人皆驚之。蓋搥鼉鏗鯨。雖鬼斧神斤。弗若也。

不患遲鈍

少年之人。患不能勤勉。不患遲鈍。遲鈍無弊害。敏速則反有弊害。譬如童子讀書。易記則亦易忘。作事敏速。則不能養成勤勉堅忍之性。遲鈍則反是。此勤勉堅忍之性。實百行之基。最可貴重。不見夫龜乎。其行遲遲。然進而不止。有時而勝狡兔焉。

名人多鈍

童子時。爲鈍物蠢才。强壯以後。爲大人豪傑。而顯名於世者。自古迄今。其例不少。中外皆然。茲引其一二言之。格爾的納義大利有名之畫家也。幼極蠢愚。有驢頭之號。奈端在學校時。居最下等。劣於彼者惟一人而已。一旦奈端爲優於己者所蹴。奈端怒而與鬪。其人終屈。奈端亦自此樹爲學之志。而思勝之。遂登第一之等級。亞當少時。祇能轉動大石。父謂其極鈍極愚。田斯維弗的在都伯林之學校。棄物於考試時而除名。有名學者查爾馬斯古克在塾時。均愚鈍且屢爲損害之事。其師大怒。以其怙惡不悛。斥之還家。舍理。檀幼時。母使從師。其愚騃不可致訓。斯格的幼時甚愚蠢。好鬥罵。培尼斯幼時。好競力而愚鈍。亞爾費立在學校時。毫無進益。足跡半歐洲。始以學業著。拿破崙威靈頓幼時。在校皆甚愚鈍。可知。人。之。成。名。在。學。勤。不。存。性。鈍。

晚年勤學

諺曰：『人之爲學。無所謂遲。』此經驗確實之言也。吾國如衛武公耄而好學。梁顥八十大魁。者不勝枚舉。求之西史亦然。百爾圖年五六十時。始知向學。其後著述宏富。成爲博古之人。電氣博士之弗蘭克林。其研究物質學時。年已在五十外。義大利有名之著述家曰：薄加西窩。年三十五始從事於藝文。亞爾費立爲義大利有名之詩人。年四十六。始習希臘語。瓦德四十歲時。在額拉士哥作器具。始習法蘭西日耳曼義大利語。讀三國之器學書。罕埵爾之書。今所傳者不少。而要皆作於四十八歲之後。蓋從遲暮之年。壹意爲學。卒以成大名家者。其例有數百之多。茲不過略舉一二。

然則曰：『吾老而不能學者』是浮躁之人耳怠惰之人耳

石工爲師

法人有不能居其國而住於倫敦者以石工爲生計過問者稀迫於貧窶有與同住者家頗豐實石工往問之曰：『何事可糊口乎』答曰：「學師」石工驚曰：『我工人耳以方言訛音談話之外一事不知而謂可爲學師是嘲我也』其友決然曰：『我並無誑語汝若願爲學師當以教他人者教汝」石工曰：「否不能吾今已老爲生徒猶難何況學師」竟不聽友人之言辭去其家往倫敦各省府周行數百里思再作石工卒不獲返而訪其友曰：「吾本欲覓工食之家遍求不得自今始願從子言」因就其友習法國文法書久之不惟通其理且嫻其音其時倫敦近郊有一學校

缺教員石工往充之遂得爲學師石工昔曾操作於此人皆識之恐不爲所敬因歷述其貧困之境及爲學之事以告於生徒人無不嘆美而尊之焉　以上發憤勤學

（二）立志篇

澄清天下

宋蘇軾（字子瞻號東坡）父宦學四方（父名洵號老泉）太夫人親授以書聞古今成敗輒能舉其要太夫人嘗讀漢史至范滂傳（范滂東漢人爲侍御史。有澄清天下之志。後以黨禍死。）慨然太息公侍傍曰「軾若滂夫人許之乎」太夫人曰「汝能爲滂吾固不能爲滂母耶」

忠孝

楊起元幼時。受舉子業於父。嘗聽講至夜分不寐。迨旦卽發揮於文字之間。呈之以爲歡。又見母多病。每夜俟人靜。向天祈禱。願早登第。及兩親見之。是時惟知愛親。無他念也。登鄉薦時。年二十一。後累赴春官不第。乃奮然曰：「得非吾念有差乎」。遂朝夕默禱云。有如志富貴。不志道德。爲身家不爲生民。上負吾國。下負吾親者。神明鑒之。至三年。卽第。

正心

宋王禹偁字元之。七歲能文。畢文簡公爲郡從事。（姓畢名士安其時爲州郡官長）始知之。聞其家以磨麪爲生。因令作磨詩。元之不思而對曰：「但存心裏正。何愁眼下遲。得人舉借力。便是轉身時。」（元之借磨以喻自己。謂得人稍扶持。便可變通矣。）文簡大奇之。留與子弟講學。一日太守堂上有詩句云「鸚鵡能言爭似鳳。』座客未能對。文簡歸。寫之屛間。元之書其下云。『蜘蛛雖巧不如蠶。』文簡歎曰。『眞經綸康濟之才也。』遂加以衣冠。呼爲小友。至文簡入相。元之已掌書命矣。

直道

唐李泌年七歲通文。明皇召入試之。帝方與張說對弈。（張說唐相）因使泌賦方圓動靜。泌曰：『願聞其略。』說示之曰：『方若棋局。圓若棋子。動若棋生。靜若棋死。』泌應聲曰：『方若行義。圓若用智。動若騁材。靜若得意。』說因賀帝得奇童。說嘗與人論羣臣言蕭嵩伉直。未若裴光庭和藹。泌在側曰：『相公以直道事君。顧喜軟美者耶。』說大敬之。呼爲小友。（泌後歷輔玄肅代德順五帝。爲名相。封鄴侯。）

誠實（一）

司馬溫公曰：「光幼時弄胡桃。女兄欲脫其皮不得。女兄去。一婢以湯脫之。女兄復來問誰爲脫者：光曰「自脫也」。先府君適見之。呵曰：「小子何得謾語。況骨肉間可如此耶」。光自是終身不敢謾語」

誠實（二）

美人弗蘭克林。慷慨俠烈之士。亦理學家也。居高職。有勳勞於國。自言嘗歸美於其品行之誠實。而不歸美於才能智辯。其言曰「予不善詞令。道出一句。頗費揀擇。然志之所在。卒能行之。蓋有品行者之爲人。信任非有尊卑上下之別也」。孟典法人也。品學兼優。當法國內訌兩黨相戰時。搢紳之中。獨孟典不扃其門。論者贊之。謂孟氏以一品行足防危難。遠勝於兵馬之强。英人勞爾德斯亞金實事求是之人也其自定規則有曰「予自髫齡父訓予曰『當思以良心爲己職分事無大小宜盡心爲之而其成敗則聽諸上帝』」予服膺此訓雖至蓋棺猶不敢忘蓋一生能謹守此訓不惟免塵世之殃咎亦荐臻人生之福祉予當傳諸兒輩使循行之」嗚呼少年之心肝其銘此數語也哉

保守良心

所謂眞實之品行者閒居獨處反之己而無慚稠人廣衆質之人而共是而後始行之耳昔有童子善受教育或謂童子曰「嚮也衆人散去時汝胡不取梨而納諸懷乎」童子曰「他人雖去我自在也我不忍我之爲不善」即此可證原於自知之良心發而爲品行之理此理每日鎔鑄人之品行每刻增長人之勢力不知

凡幾夫人溺於誘惑陷於卑陋雖終日作僞於外而其心終有不自慊足者不自慊足之痛楚勝於鞭笞之痛楚遠矣

正直和順

花納爾者英國人人欽仰之道德君子也嘗執少年而問花氏果準何道而得此乎謂以世爵之故則花氏爲商人之子也謂以貲財之故則花氏蕭然一身也謂以官階之故則花氏一風塵末吏也謂以才能之故則花氏資性僅中人無英才之可稱也特小心謹慎作事遲緩而已謂以辯論之故則花氏恂恂如不能言非若他人或用恐喝之術或用挑唆之技者特所言皆穩靜而有味耳謂以容貌之故則花氏無丰采不足熏醉人心特正直而和順耳當是時社會之中其學識才能百倍於花氏者不少而論德行之

聲價則花氏必超越羣倫而爲當代之表率。以是就之而求交者。皆觀感而興起以至於傾動一世花氏修諸已爲最平常之品行。施諸世爲最奇特之感化。

信實

端正信實實萬善所由生。英人彌爾列爾之父嘗戒彌氏曰：「凡汝賣物當然自料量常於物價相準之際稍分餘利於人始雖無利後必有獲」英有釀酒家賣酒致富其釀酒不吝麥芽嘗往桶處嘗其味曰：「尚不旨」則命僕加麥芽因此酒質醇郁大得聲名遍爲英國印度及其他屬邦所賞。

守時

知光陰之貴重則事事不愆定期。法王路易十四曰：「不愆定期是國王之禮義。然不獨國王而已。但其人有光榮。有職分。有事務。亦必需此。不可欠缺』蓋人能踐期。則易得他人之倚信。否則易失他人之倚信。有人於此。約某日某時至汝家。果不爽定期。不使汝空待。則不唯不使汝忽略光陰。又能珍重自己之光陰。則其人可倚信可知。蓋不忽此光陰。即不忽略事務之證。不忽略事務。即可付託以重要事務之證。反此而不以光陰留於念慮。必不以事務留於念慮。其人決不可倚賴。雖瑣小之事。不可委託之也。昔華盛頓一書記。逾限而至。歸咎於時辰表。華盛頓徐曰『然則汝不別求時辰表。我將別求書記官。』

勞動

英學士泰洛爾曰『汝當戒懶惰。勿空閒。勿使心思身體有毫髮之暇暇則淫慾之念伺隙而生」試觀懶惰之人每被誘惑有能清正守節者否乎蓋勞動身體有逐退惡魔之大利益少年之人不勞其四肢運其筋骨則憂悶成疾顏色青白形體羸瘦神思恍惚若欲醫之唯有勞動之一法

奮發

人之處境有幸中之不幸有不幸中之幸辛苦而爲賤工艱難而得衣食視彼高枕而眠者其幸不幸大相懸殊不知此大不幸者乃人生之大幸也嘗見一著名法司人或問之曰：「人之立功何者爲必要」法司曰：「有由於才調者有由於門第者有由於天幸者然由不名一錢而得利達者最多」

勤勉

大凡勤勉之人有化萬物為黃金之能力有化光陰為黃金之能力是以其人足以傾動一世者往往中人多而上士少特其勤勉耐久有異於衆耳嘗有婺婦見其子英靈俊邁而浮躁輕卒也喟然歎曰『嗟乎無容忍之心而有輕躁之性則凡有所為無不後於愚魯之人』意大利之諺曰『遲遲吾行筋力不疲而可致遠』製煉家達爾東聞人之稱其為英才也力辨曰『英才之稱則吾豈敢吾之成吾業者惟由勤勉之功積累所致耳』婺是嫠之誤

勇往

拿破崙之言曰『不能二字僅見於愚人之字書而已』觀其平生所為堅定而無疑慮則其成事業也亦宜當行軍時嘗道經阿耳魄士之大山此山自昔無人登涉軍人皆有難色拿破崙曰『

是何足以妨我』遂闢道而行。卒破强敵。

刻苦

英之名人福格斯其生平任事。不厭辛苦。居政府時。以拙於書法。遭人羞辱。因憤而從師。如童子摹寫。日久遂至絕工。福格斯體素肥。蹴踘時輕快可驚。或問何以致此。則戲答之曰：『予不厭辛苦故也』

堅忍

法人巴律西家貧。徹學畫玻璃為業。時法國陶器苦窳。而色栗。巴氏意欲突過之。一日。有售意大利名工坯剌所製之磁盃者。美麗無雙。巴氏一見而傾心焉。謀親往意國。探厥秘。以妻子故。不能脫覊累。乃懸虛摹擬。出己意。碎藥料為末。積貯陶器。燒於窯中。日夜考察。迄久無所成。但費藥物薪樵與時日心力而已。巴氏曰：「此築窯之未善也」。乃改築之。耗費材物。又如故。至是囊橐傾乏。然巴氏不爲之稍沮。乃竭力摒擋。餘貲購致土器三百。盡塗以藥料而煆之。越四時。出而視之。三百之中。燒傅者祇一具。既冷漸堅。現色白。大喜。歸而示其妻。其後屢屢試之。更無驗。巴氏復改築窯於其家之側。八月而功竣。乃自造土器。塗藥料煆之。已則坐於窯口視其火候。如是者凡一晝夜。藥料未燒附。而朝旭已升。照顏如赤。妻持早餐而與之食。越一日。夕陽西沈。而藥料猶未燒附。巴氏面目黧黑。形容枯槁。兀坐不動。以俟之。相繼至七日。雖加樵蘇。而藥料未附。巴氏曰：「此用藥之未當也」。自是逾二七日。或三七日。輒擣煉新藥。以調和之。貧不能買土器。幸得友人贊成之。始舉火焉不幸藥料未附而薪又告匱乃急趨毁園內木壁投之猶不足則更以几案之類投之是時竹頭木屑一無所有所留者室中庋架耳巴氏亦取而投之其妻趨而呼之曰：『汝殆病狂乎』巴氏佯若不知者未幾就窯視之尋常栗色之缸甑熱退皆變白而發爲光澤乃傭工人使造土器自取黏土仿造古錢模惜貧窮旣迫救死而恐不贍又幸有酒保嘉其志許其假食於家巴氏感其德更勉力爲之厥後雖小有成就而仍不足爲佳品於是失望之餘撫膺自歎妻子常咎其失計鄰人亦笑其頑愚一日悄然野外見腓肉盡脫瘦骨崚嶒有懷莫吐顧影自憐旣歸遂復故業爲養生計逾年衣食少充足乃復從事於陶器自茲以降歷八年而後成蓋巴氏以眞積力久轉敗而爲功漸次諳藥物之功能知黏土之性

質悟竈窯之製造先後凡易十八星霜始得製最佳之陶器顧巴氏猶以爲不足更取諸器皿精繪草木鳥獸蟲豸之類又久之始竟其功故凡巴氏所售之碗碟缸瓮人皆稱爲精妙而有風韻雖價値昂貴人亦爭致之倫敦售巴氏所造之小碟圓徑一尺二寸碟之中央繪一蜥蜴狀態如生定價一百六十二磅若是者誠可謂價重連城矣嘗自述其生平曰「當余之屢振屢蹶也終夜露處凄涼寂寞無有過而憐之者惟鳴雞吠狗伴余而已又或猛風疾雨倏忽而至衣履雨濡泥塗如醉人狀余僅能匍匐蛇行暫覓棲止困苦之情殆有難縷述者最不堪者室人之詬誶也其使我煩懣不平甚於猛風疾雨」

剛毅

古人言。有志者事竟成。此誠千古不刊之言也。人苟立志而勉爲一事。則其志已超越乎道路之障塞。不難遽告成功。是故立志剛毅。有絕大之權力。昔俄羅斯有名之大將名「士話婁」武勇英悍。世罕其倫。一生最憎厭我不知。我不能。等語。而惟以學爲試三字爲前題。

有恆

方伎幻術。雖多以欺紿爲生涯。然一暴十寒。則未有能善之者也。女子跳舞之事。至易也。然非學之數年。則不能出其術於人。昔有答爾搖尼者。善跳舞之女子也。初時登臺演習。因其父督課嚴。憊甚。氣絕。父爲解其衣。取海綿遍拭其體。乃蘇。由是每施其伎倆。輒翹袖折腰。身若秋葉被風。髮若飛旌。騁馳若鶩。蓋其技始進乎道矣。亞丹斯密初著邦國財用論。其說不行。爲世所重。乃在行年七十之後。大抵人之一生。如行遠。然積步而至尺。積尺而至尋。積尋而至里。然後可達其所。如穫稻。然必春以播之。夏以耘之。然後金穰玉粒。可望三秋。如結實。然果實之最美者。其成熟必最遲。循是而觀。可知小小之技。猶難一蹴而幾。而況高才大學之深且遠者乎。不待智者而後知也。

惜時

昔英國有一少年方筮仕。問斯格的何以教我。斯格的答書曰「汝勿虛度光陰。無論何事。當爲者卽刻爲之。事了後遊息。勿遊息於未了前。譬如行軍。前隊被阻。則後隊必驚擾。事到手阻格不辦。他事沓至。必將紛擾至此。一日欲爲數日之事。焦灼催迫。何能不

心忙神亂哉』一意大利理學家常云光陰者吾產業也不善治此產業則不生價値善治之則價値千金

勤儉

昔有某紳者性素懶家本富饒一年所收租不下萬金以其懶故負債甚多賣田產之半而償之其餘租與農民訂期十年期滿農民問主人肯賣此田園否紳大驚曰『汝欲買之乎』答曰『然請問其値』紳不信曰『昔日我之田園一倍此數又皆自家田產然已爲生計所迫不得已而賣其半以半租汝今汝年納租金以償於我尚有贏餘買我家田產乎』農民答曰『此道理甚明白足下安坐茵席而僕奔走道路足下橫眠床榻而僕昧爽卽起勉吾穡事職是故耳』

深思

奈端見樹菓之墜地。悟地有吸引之力。因是得發明日月星運行之理。為曠代之學士。或嘗問之於奈端。奈端曰：「思之思之。鬼神通之。」他日自語生平於人曰：「苟其事常留於予之心目著。雖造次顛沛亦依而弗失。故始則茫然不解所以者。終必豁然貫通於一旦。時或課此而疲倦。則棄此而易他課。如此互相迭更。以增精神而養氣力。」又語學士便的禮曰：「天既生我於此國。凡為我當然之分。我必勉強忍耐以持之。」理學家客不列爾曰：「一事於此。我必仰而思之。幸而得之。必更注吾全力而深思熟察。此吾學問進益之所由也。」

精密

水積成川。土積成山。學積成聖。自古振奇之士。雖於微物細故。曲學小藝。莫不精密觀察。以增其學識。廣其見聞。所以收眞實之益也。安日洛。意大利有名之雕繪建築家也。嘗有客來訪。見其造一石像。已成矣。越數日。客復來。見安日洛仍修此石像。客異而問之。安日洛指石像而語之曰：「予昔所爲者。切琢之功也。今所爲者。磋磨之功也。必至柔其體。顯其力。狀其神而後可。」客曰：「唯唯。雖然。是皆瑣屑耳。」安日洛曰：「事雖瑣屑。功則微妙。功既微妙。事非瑣屑。」保申。法之畫家也。平生不輕忽事之小者。其於畫。亦然。晚歲以工丹青稱。其友問之曰：「君果所操何術乎。」保申曰：我惟不輕忽事之小者故。一生得小事之力。無他能也。觀二子生平。誠可爲後世法矣。

審愼

英國有一古語曰『我嘗昧爽冒霧行深山中。遙見山側有動物。霧迷不能辨視其形怪謂爲魑魅也及近而觀之乃行道之人也。尾而視之吾弟也』妙哉喻言乎吾人行事。可不愼哉。

廉潔

非洲有一種土人嘗縛一瓢置樹上此瓢適可容猿之足有口而入米於其中至夜猿升木足入瓢中探其米粒欲退出時而其身爲機所夾不能動翌日土人捕之此猿以貪婪之心遂一時之欲以亡其身可謂愚矣嗚呼世俗之人貪財而滅身家者多矣與此猿何以異哉

節儉

明永樂中有胡壽安爲新繁令性清儉不恆食肉其子來省親一月烹雞二隻壽安怒曰：「飲食之人則人賤之吾居官二十餘年常以奢侈爲戒汝如此豈不爲我累耶」子唯唯服罪亦學父清儉

身貧心富

世之弱冠王孫綺紈公子鮮不曰富曰貴不知富貴者與眞正君子之德不相關也人苟能存於中者端正信實顯於外者溫雅和平財產不富精神不貧故其剛毅其快樂其希望其自尊（尊德性之義）皆非貧也貧者而有富之精神較富者而有貧之精神爲優身貧心富之人不有一物而有萬物身富心貧之人雖有萬物不有一物何則身貧心富之人在聲色貨利之中而能不牽嗜慾紛華之感

在凶禍災阨之間而能不動憂傷悲哀之情雖以全世界付諸若人之手可矣其德之全豈猶有遺憾耶

積漸成材

英人彌爾列爾曰『世界者大學校也困苦者良師友也』誠哉言乎今使不忍一時之困苦而游移無定是棄其良師友而自即於失敗之道也故無論何等課業皆當竭蹶以爲其始雖覺艱辛久則由勉而利由利而安自有優游之日且人苟全奮其精神以一時而爲一事則雖才性至鈍一生所積成就者必多

不學無益

黃福官侍御持身嚴介行事正直初時帝命看戲對曰『臣素性不好戲』又命圍棋對曰『臣不會圍棋』帝曰『何以不會』

福曰：「幼時父師嚴。不學無益之事。」帝大異之。

日見進益

英名畫家麥爾列第幼時至伴克斯家。遽叩戶。婢女怒而呵叱之。伴克斯聞之。問曰：「何事。」答曰：「予欲入學藝之大館而學繪願君爲之介紹。」伴克斯先令出其畫觀之。謂之曰：「汝年幼。勿急往。試歸而善習之。一月之後。再來示予。」麥氏敬謹遵命。勤勉加工。及期而持畫往。則較前甚有精進。大得伴克斯之勸勵。閱七日又持畫往。益見進益。伴克斯因謂之曰：「予許汝必成大名。」後果如其言。

不怨天

有一種人。常自太息。謂我生不辰。無一過失。而受世忤逆。昔有自悲運蹇者曰：『余若爲製帽師。人必無首而生。』言固可悲。實則惑矣。俄羅斯之諺曰：『徒嘆薄命者。愚蠢之流亞。』斯言可謂有理。蓋嘗觀貧困之人。或由於怠荒。或由於失誤。或由於淺率。或由於粗疎。如禾稼然。不耕何穫。彼自嘆福命之薄。而不知有由薄也。名士戎孫至倫敦時。衣袋中僅有一奇尼（金錢之名）貧苦無聊。而其言曰：『世上之人。鳴不平。吐怨言。皆不自揣我。未見有功勞之人。而見棄於世者。凡求富貴利達。而傾跌者。皆平日之愆尤。自取之也。』

循序

循順便之方法。不差次序。此之謂循序。循序者。無欲速。而自無不速。英人設西爾有云：『順序之方法。如裝物然。或於箱。或於袋。善裝物者。必比不善裝者。多裝入一倍。無他。謬巧順序故耳』設西爾之辦事也。急速踰常。又曰：『多作事之捷法。無他。一日爲一日之事而已。今日之事。不至明日。爲之設或一日之間。諸事蝟集。則寧減眠食之時。決不延誤一事。』荷蘭名相埡維的曰：『一時爲一事。』又曰：『予急欲爲之事。此事未畢。決不思他事。』

禮教（一）

周孔子（名丘字仲尼）兄孟皮有疾。不堪主祀。父更娶顏氏女（名徵在）禱於尼山而生孔子。少孤。（孔子三歲喪父七歲喪母）兒時嬉戲。學爲禮容。陳設俎豆。爲朝廷享祀之禮。

禮教（二）

元許衡（字仲平）幼端慤。與羣兒嬉戲。卽有坐作進退周旋之節。羣兒不敢干犯年七八歲受學鄉師書過目輒不忘一日問其師曰「讀書欲何爲」師答曰「應科第耳」復曰「如斯而已乎」師大奇之謂其父曰「此兒穎悟非常他日必有大過人者吾不能爲之師矣」固辭而去衡得程朱書沉潛玩味造詣淵深遂成大儒

禮貌

英孟梯額夫人有云「不費一錢而可買得萬事者禮貌是也」此言不損吾人一錢而可收以禮待人之效果也罷禮嘗謂英王以利沙伯云「陛下有敬愛萬民之心則萬民亦敬愛陛下」此亦言感應之不爽也且人卽不事修飾不用智巧一味以忠愛之心行於自然而性情風度自呈美於朋友會社之中則福祥之氣

滿於彼我之胸矣且人生日用之間細小之禮貌自其分而觀之似無眞正之價値然反覆積累則成重要之事如日積一錢其數至微月計歲計則成大數耳

（三）器量篇

忍耐免禍（一）

臨江胡秘校與客圍棋忽有鄉民惡聲甚厲問之曰：「來算簿」公曰：「少待」其人直前推局大罵客不能堪公徐曰：「無怒」卽取簿勾之又與斗米遣歸明日聞其人死矣蓋以計服毒而來無隙可乘而去也若當時少不忍其能免禍乎前輩云「逆我者只消寧省片時便方寸寥廓矣」又云「非意相加必有所恃可

與較乎」

忍耐免禍（二）

和州某村有居民養鵝百隻一日因食其鄰稻被其擊死至五十餘隻民妻見之始亦甚怒忽轉念曰『設或成訟力不能勝必欲勝之所費甚多且我夫已醉臥倘或聞之必起相毆禍且不測不如忍耐』立命以鵝醃之次早鄰人忽自暴死其夫醉醒知之乃云『設昨日早使我知我必乘醉去毆今日破家必矣』【按】人於忿怒之時忍作退一步想便可保全身家性命消釋煩惱怨家觀於民妻之一忍所全不旣多乎昔范文正公云『心中忿怒不如休何須經縣又經州縱然費盡千般計贏得猫來輸去牛」

忍耐免禍（三）

張尊文少時。有術者算其四十歲必遭人命。至是年除夕。謂其子曰：「術者算我明歲有凶。我一味忍耐。看何如。」三月內。往市賣布。先立於櫃左。忽一人伏其背而臥。張回視。以手扶之。徙立於右。其人復轉右伏背如前。張曰：『我避汝。汝又尋來。』並不發怒。乃向行戶取布。往他處賣。賣畢轉身。見其人無故自死。張驚喜曰：「設我先以手推之。人命至矣。幸得免禍。」蓋遭凶本是前因。神見其能忍。故赦之耳。德能動天。豈不信然。

忍耐免禍（四）

武林李某。家素饒。一星家爲推某月日。値難星。當有奇禍。李至期。閉門靜息。日將晡。移步過外氏。僅隔數廛耳。忽有負薪者鈎其衣。衣且裂。李出不意。殊忿。已而念日者言。遽霽色舍之去。負薪者愧。

且感歸與家人道其事時酷暑渴甚飲水斗許輙暴卒其家不能發難端李得無恙

受辱不較（一）

唐婁師德器量過人有無知者指名辱罵公若不聞或以告公公曰「恐是罵他人耳」曰「明呼公名」曰「天下豈無同姓同名者」或猶不平仍以爲言公曰「彼罵我而子述之是重罵我也毋勞見告」一日入朝因體肥行緩同列曰「何異田舍翁」公笑曰「某不爲田舍翁而誰爲之」其弟除代州刺史將行公謂曰「吾兄弟受國厚恩祿位過盛時人所忌何以自寬」弟曰「有唾某面者拭之庶不爲兄憂」公愀然曰「人唾汝面是怒汝也拭之是逆其意而甚之怒也夫唾不拭自乾當笑承之方是

處盈之道』公爲帝所信任。舉朝無比。愈加謙謹。凡遇毀謗之來。即反躬自責若無地自容。嘗曰『人以非禮相加。其中必有所恃。付之不較。非惟養量。亦以免禍。此君子所以三自反也』嗚呼如婁公者。可謂受辱不怨者矣。

受辱不較（二）

桐城何文瑞任禮部侍郎時。偶寓古道庵內。一日赴酌。張燈步歸。遇醉漢直撞而來。口中罵詈且吟曰『相逢盡道休官好。林下何曾見一人』踢其燈籠而去。公約其僕從不許呼喝。明早其父攜子跪門持杖請罪。公曰『我昨未出庵門』竟不問。後拜相。

受辱不較（三）

淮陰富強爲人寬和。元旦日。有小人酗酒。踞門辱罵。富閉門不理。

鄰右俱爲不平。富曰：「當此佳節。誰不飲酒。醉後發狂。人之恆情。若與之較。量何小耶。」是夕夢神語曰：「茲於天臘之辰。汝能忍人之所不能忍。上帝嘉汝矣。酗酒小人不久凶死。」後果然。

受辱不較（四）

恭伯順賦性純篤。未嘗當面折人。雖無可否。而涇渭自了於胸。有同官馬棻怨其外已。飲衛使沉醉。諷軍伺其出而辱之。左右告以故。公色不爲動。軍果隔池肆罵。公佯不知。扳佩刀砍其案。公亦無與。至明早酒醒。惶恐因事詣公。白其誤爲人醉。遣謝過。公曰：「爾自醉。故錯耳。實未嘗過我也。」後典軍政。司坦然如故。無宿憾焉。

受辱不較（五）

清太倉詞林王憲尹。康熙壬子秋。甫登賢書。夜從遠道歸。將近里門。忽有酗酒無賴。遇之於道。執而問曰：「爾是何人。」持刀欲砍之。王斂容曰：「吾是王某。卽新科中式者。」其人曰：「吾正欲殺新科王某耳。」犯之益力。賴鄰里狂奔扶救。得脫。歸至家。不與家中言其事。明日無賴酒醒。惶恐懼罪。以爲必聞之官將寘於法。急同鄰里數人踵門請罪。先生閉戶卻之。以爲吾昨夜並無其事。此輩不知所出。惘然而退。【按】有德者必能有容。以其涵養之粹也。有福者始能有忍。以其度量之宏也。夫以少年得意之人。猝遇暴逆於暮夜欲歸之際。不惟不與之校。幷不露於家庭之內。是非特見惡人而遠避。且幷忘遠避之見矣。

糞衣不較

顧履方爲崑山相國文康公長子。謙和折節。一日盛服拜客。有鄉人擔糞斷索。汚其衣。家人怒罵。履方曰：「彼已驚矣。豈可再嚇」徑反更衣而往。忠厚如此。故子孫貴盛。

侵址不較（一）

楊翥德冠一時。鄰家搆舍。甬溜墜其庭。公不問。曰：「雨日少晴日多也」或又侵其址。公有普天之下皆王土。再過些兒也不妨之句。

侵址不較（二）

舒芬爲翰林時。家書來有以鄰侵其牆告者。公批書覆之曰：「千里書來只爲牆。讓他幾尺又何妨。長城萬里今猶在。不見當年秦始皇」

毀樓讓人

長史李晦私第有樓下臨酒肆內室其人言曰：『微賤之人雖禮所不及然家有長幼不欲外人窺之家逼明公之樓出入非便請從此辭』晦即日毀樓

錯認不較（一）

漢卓茂恬蕩樂道自束髮至白首與人未嘗爭初辟丞相府嘗出有人認其馬茂問其亡馬幾何時曰：『月餘』茂心知其謬默解與之挽車去顧曰：『若非公馬幸至丞相府歸我』他日馬主別得亡者乃詣府送馬叩頭謝之。

錯認不較（二）

漢劉寬量大有失牛者就寬車認之寬下駕步歸有頃失牛者得牛送還謝曰：『慚負長者』隨所請罪寬曰：『物有相類事容脫

誤幸勞見歸何爲謝之」里州服其不校。

錯認不較（三）

晉王延家牛生一犢。他人認之。延授之無吝色。其人後知妄認。送犢還叩頭謝罪。延仍與之。

錯認不較（四）

晉朱沖鄰人失犢。認沖犢以歸。後得犢于林下。大慚。以犢還沖。沖不受。有牛犯其禾稼。沖屢持芻送牛。而無恨色。主愧之。不復爲暴。

錯認不較（五）

元蕭鄺嘗出。遇一婦人失金釵道旁。疑鄺拾之。曰：「殊無他人。獨翁居後」鄺令隨至門。取家釵以償。其婦後得遺釵。愧謝還之。鄉人有暮行遇盜。欲加害。詭曰：「我蕭先生也。」盜驚愕釋去。

冒認不較

吳鍾離牧少居永興。躬自墾田。種稻二十餘畝。臨熟。縣民認之。牧曰：「本以田荒故墾之耳。」遂以稻與之。縣長聞之。召民。繫獄。欲繩以法。牧力救之。民乃獲免。遂舂稻米。得六十斛。還牧。牧不受。民輸置道旁。莫有取者。由是得名。

失竊不認

羅循性寬厚。多陰德。嘗寓京師。失一衣。爲朋輩竊去。同寓一生。物色得之。扯羅往觀。比至。舉衣示曰：「此非君物耶。」羅曰：「物偶相似。非我物也。」亟趨出。語生曰：「我失衣無大損。彼得惡名。尚可爲士乎。」其寬厚如此。後登進士。官副使。

犯而不較

隋李士謙有牛犯其田者。士謙牽置涼處飼之。過於本主。望見盜刈其禾黍者。默而避之。家僮嘗執盜粟者。士謙慰諭之曰：「窮困所致。義無相責」。遽令放之。（隋書隱逸傳）

以德報怨（一）

梁大夫宋就爲邊縣令。與楚鄰界。梁亭楚亭皆種瓜。梁亭劬力數灌其瓜。瓜美。楚人田窳且灌稀。瓜惡。楚令乃夜往搔梁瓜。瓜皆焦死。梁亭欲往報搔其瓜。宋就不可。令人竊爲楚人夜灌其瓜。瓜日美。楚亭察之。則梁亭之爲也。楚令大悅。以聞楚王。乃謝以幣而請交于梁。

以德報怨（二）

金誠廣州右衛軍也。讀書社學。指揮使張最無賴。詰之曰：「軍餘乃敢效儒生耶。』褫其衣。使薙（池上聲芟草也）草烈日中。稍緩撻之。誠泣曰：『誠讀期顯揚。今虧體辱親矣。』張愈怒。拘其父窘辱之。行賄乃免。永樂丁酉誠領解。即聯捷授刑部主事。張坐殺人逮至。望見誠。觳觫甚。一步九頓。誠笑迎之。爲言於堂官。釋其罪。張謁謝。誠執禮如平時。張感泣。以女妻其子。後子亦登弟。

代償失物（一）

漢陳重嘗在郎署。同舍郎有告歸者。誤持同舍郎袴去。主疑重。重不自申說。市袴償之。後歸者以袴還主。其事乃顯。

代償失物（二）

漢直不疑爲郎。其同舍有人告歸。誤持同舍郎金去。金主意不疑。不疑謝有之。買金償。告歸者回來而歸金。亡金者大慚。以此稱長者。

代償失物（三）

明文徵明宿一貴家。主人未出。臥帳中以待。適一友至。徘徊四顧。見案上金杯。急袖以出。公固熟識之。主人出。公迎謂曰：『吾今日爲一急用。適見案上金杯。欲借以相抵。不及待。已遣僕持去矣。奈何』。主人唯唯。公又曰：『汝銖兩幾何。價值幾何。異日倘不可復得。當以銀償』。主人又唯唯。公歸。即鬻田以償。終不言其故。公高壽。享大名。孫震孟爲狀元宰相。

久忍量寬

夏忠靖公量極寬。人問曰：『量可學乎。』公曰：『可。吾少時遇人犯我。未嘗不怒。始忍於色。再忍於心。習慣自然。遂無忿爭。何嘗不從學問來乎。』潘仲謀曰：人偏險。我受之以寬容。人陰險。我受之以含默。猶炎熱中。投之以清涼散。過後大爽。

但學吃虧

林退齋尚書臨終。子孫跪請曰：「大人何以訓兒輩。」公曰：「無他言。汝輩但要學喫虧」。從古英雄。只爲不喫虧。害了許多事。從古英雄。只爲能喫虧。成了許多事。如韓信受辱跨下。後乃築壇拜將。淮陰少年。皆隸麾下。由此觀之。安知受辱之人。異日不騰達。而辱人之人。異日不反受人辱乎。好勝者其思之。

一忍一不忍

藩臺徐公渭伯。泊舟瓜步。爲醉漢所辱。公令移船。他泊後。兵憲杜公舟次其處。亦爲醉漢所逐。兵憲說。拏羣擊醉漢。無完膚。後乃知其爲楚府郡王也。疏上。杜公落職。此忍不忍之攸分也。

不忍釀禍

會稽毛某性氣暴戾人多畏之一日早晨買菜反覆較量一言不合即揮拳毆之賣菜者氣忿是夜遂縊死于毛之門首報官相驗家產立破仍問徒三年

百忍歌

周初平先生著

忍之爲德其至矣乎樂天知命忍之原也懲忿窒慾忍之方也天道虧盈而益謙人道惡盈而好謙鬼神害盈而福謙謙即忍之旨乎忍爲德行之本忍爲聖賢之基忍爲豪傑之用君陳篇云必有忍乃有濟有容德乃大孔子云齒剛則折舌柔常存柔必勝剛弱必勝强好鬬必傷好勇必亡百行之本忍之爲上是故不爲已甚聖而忍也犯而不校賢而忍也不報無道强而忍也慮以下人達

而忍也。仁者其言也訒。言可不忍乎。動心忍性。曾益所不能。性可不忍乎。羑里陳蔡。忍不可忍之患難。簞食鶉衣。忍不可忍之困窮。其守己也。忍餓於嗟來。忍渴於盜泉。其篤學也。忍痛於刺股。忍寒於立雪。夷齊餓首陽。爲義而忍。薛包勤灑掃。爲孝而忍。寇恂屈賈役。爲忠而忍。子卿甘嚙雪。爲節而忍。險阻歷國。文公忍而霸晉。臥薪嘗胆。勾踐忍而沼吳。屈體鴻門。沛公忍而釁項。潛泣枕畔。光武忍而興劉。子房忍圯上。王孫忍胯下。夷吾忍檻車。師德忍唾面。劉寬忍汚袍。王旦忍墨飯。終身讓路。朱仁軌之忍也。遜謝叩馬。李文靖之忍也。大耐官職。向敏中之忍也。汚卷自陳。夏原吉之忍也。折節受侮。公瑾能忍讓。溫克不怠。康成能忍度。屈己抗禮。鄭公能忍貴。六院同庖。君良能忍義。無地起樓臺。萊公能忍儉。若夫忍嫌於秉燭。忍捷於圍碁。忍功於大樹。忍主於道梨。忍愬於射牛。忍屈夷門而救趙。忍恥飯牛而相齊。忍乞吳門而覆楚。忍事女主而返周。忍之爲用。其大矣哉。明此忍則客纓可絕。明此忍則帝足可躡。明此忍則葅蛭可吞。明此忍則寶盤可碎。明此忍則巾幗可不恥。明此忍則袖釧可不問。故我舌尚存。毆亦忍。佯死棄廁。辱亦忍。不欲知名。毀亦忍。驢而詈名。侮亦忍。儐同舍金。誣亦忍。認馬不爭。妄亦忍。髡鉗自貶。怒亦忍。梁上君子。盜亦忍。孟德憐才。則忍陳琳之檄。狄青克己。則忍劉易之詬。袁盎恕吏。則忍侍兒之私。馬翁恤婢。則忍斃兒之誤。跪而結韈。釋之忍下賢也。失印自如。晉公忍變故也。繫獄讀書。楊溥忍縲洩也。遇刺不驚。魏女忍授命也。不究竊器。齊賢以忍容人也。不認原金。知常以忍全交也。先嫁令女。鍾離瑾以忍恤孤也。焚券擇配。賫禹鈞以忍宥過也。人情最難忍者色與財。若靳翁之踰坦避女。馮商之還妾贈金。曹鼐之書名自戒。羅倫之拒女奔樓。是能忍乎色者。林積之約主還珠。高翁之捐金完配。朱軾之代完青苗。舒翁之館貲救婦。是能忍乎財者。由是觀之。自帝生以至卿相。自豪傑以至聖賢。未有不得力於忍者也。是以君子忍人所不能忍。忍人所不堪忍。忍人所萬難處之忍。如冰之忍凍而益堅。如金之忍鍊而益精。如松之忍寒而益勁。忍之爲德至矣。庸夫不明此。忍則爲暴戾。爲橫逆。爲作亂。莫大之禍。皆始於不忍。可不戒歟。噫。張公藝所以有百忍之規。余因以自警。爲之廣其旨云。

寬下得心

楚莊王與羣臣夜宴。燭滅。有醉引王美人衣者。美人乃絕其纓以告王。王曰：「使人酒醉。欲顯婦人之節。吾不取也。」乃命左右勿上火。傳令曰：「與寡人飲。不絕纓者不歡也。」羣臣乃皆絕纓盡歡而去。後王與晉戰。見一人在陣中力戰。以退晉師。問之。乃昔絕纓者。

待婢寬恕

馬封翁年踰四十。止生一子。眉目如繪。夫婦愛若珍寶。婢偶抱出門外。失手墜地。跌傷左額而死。封翁見之。命婢奔避。自抱死兒入。夫人驚痛幾絕。索婢撻之不得。乃撞倒封翁。幾次。翁並不怨其婢。婢歸母家。日夜叩首祝天。願公早生貴子。次年夫人卽生森。左額宛然赤痕也。森後官至戶部尚書。夫奴婢犯罪之大者。孰有如死其子。此事尚可恕。又何事不可寬乎。封翁滿腔仁慈。見於行事。其受封宜哉。明珠既損豈能圓。縱撻婢傷亦枉然。畢竟仁人當食報。麟兒再降賴翁賢。

汚服不責

漢劉寬量大。夫人欲試之。一日早起。盛服入朝。夫人命一婢持油湯一碗。近公故跌。以湯汚其朝服。公神色不動。問婢曰：『羹燙汝手乎。』入內換服。夫人笑曰：『人言相公量大。妾故試之。果然矣。』

恤竊予金

潘世恩先世某。居鄉有盛德。凡扶危濟困。矜孤恤寡。與一切有利於民物者。莫不至誠惻怛爲之。除夜有偷兒。燭之。乃鄰家子。云『好賭。家盡落。負債累累。今夕索債甚亟。無奈行竊。願乞饒命。』問所須若干。曰：『須十金。』翁曰：『何不早告。』命之坐。出二十金與之曰：『以半作小經紀。但願汝戒賭。勉爲安分良民。我誓不以今夜之事告人也。』其人泣謝去。後十餘年。翁入山卜得一吉地。就村店沽飲。見店主乃鄰家子也。因得金感化。改行來此營業。娶妻生子。見翁感泣。拜謝。款敘之下。詢所卜吉地。乃彼所買之地。再四懇謝。於公因厚償其值。地師無不以爲鼎元地也。葬後世恩兩伯父先後成進士。翰林中書。從兄世璜探花。世恩狀元宰相。

恤竊予絹

明成化中。一老生累試不捷。孤燈獨坐。悶歎無聊。忽有盜踰垣入室。生見之。謂曰：『冒雨夜來。辛苦。料汝必不得已也。』盜實告曰：『我非盜。郵卒也。因輸欠。懼軍令。不敢歸。故求援耳。』生曰：『吾有二絹予汝明日且為汝請於軍校』盜拜謝而去越三年生赴舉夢一卒曰「某受絹卒也欲報恩無由而死今秀才中矣』是科果捷又夢卒曰「君為益州官有索命者我當衛之後果選益山道逢賊欲殺生恍惚間見有軍士救免

恤竊予飾

麻城劉仲輔為莊襄公璲父自少仁恕與夫人董母初婚之夕家尚貧有偷兒入室公驚起視之乃所識者曰「汝耶想以貧故至此』即檢夫人首飾數事給之公囑曰「汝今改行為善我終不言』後夫人常問其人為誰公曰「已許其不言矣』及公歿有一族子觸棺甚哀人始疑為昔偷兒而時已有善行矣公與董夫人俱以子貴享高壽曾元俱登甲第

覩竊不問（一）

張文定爲江南轉運時。嘗有家宴。一奴竊銀器數事於懷中。公自簾下熟視不問。後公爲相。廝役多列班行。此奴乘間以請。公曰：『我不言爾乃怨我。爾憶盜銀器事乎。我懷之三十年不以告人。雖爾亦不知也。吾備位宰相。志在激濁揚清。敢以匪行者薦耶。念汝事吾久。賜錢三百千。任擇所往。』一奴震駭拜泣而去。

覩竊不問（二）

後漢淳于恭家有山田果樹。人或侵盜。輒助爲收採。見偷禾者。念其愧。因伏草中。盜去。乃起。里落化之。

覩竊不問（三）

桑虞仁孝天至。年十四。喪父。毀瘠過禮。日以米百粒用糝藜藿。有園在宅北數里。瓜果初熟。有人踰垣盜之。虞以園垣多棘刺。恐偷見人驚走致傷。使奴開道。及偷出。見道通。知虞除之。送瓜。請罪。虞歡然。盡以瓜與之。嘗宿逆旅。同宿客失脯。疑虞。虞便解衣償之

覩竊不問（四）

馮商延一堪輿家往祖塋相視。將至。忽拉其人同返。其人問故。商曰：「遙望見祖塋有賊踞樹巔。盜砍大樹。倘吾輩往前。恐被驚跌。至損其命。不若且回。」堪輿曰：「君心如此。牛眠鹿臥不足道也」後子京舉三元入相。

覩竊不問（五）

南史沈道虔有竊其園菜者。虔自逃隱。待竊者去。乃出。又有拔其屋後筍者。令人買大筍送之。曰：「欲屋後竹成林耳」盜者慚不

取使置其門內而還。

盜竟感悔

後漢姜肱衣被盜掠去至郡見肱無衣問其故肱托以他詞終不言盜盜聞而感悔叩頭謝罪還所掠物肱不受勞以酒食而遣之

盜皆慚歎

後漢趙咨辭官耕農養母盜嘗夜刼之咨恐母驚乃先至門迎請設食曰「老母年八十疾病須養乞少置衣糧妻子物一無所請」盜皆慚歎跪而辭曰「所犯無狀干暴賢者」言畢奔去

感盜還財

陳白沙嘗舟行遇盜盡劫財物白沙居舟尾呼曰「我有行李在此可取去」盜問爲誰答曰「我陳獻章」盜訝曰「小人無知

驚動君子舟中之人卽公友也忍取其財乎』悉還而去

感賊還衣

北魏房景遠好施與歲凶于通衢食餓者存濟甚衆劉郁遇刼賊已殺十餘人次至郁郁曰「房景遠是我姨兄」賊曰「我食其粥而活何忍殺其親」遂還其衣服

感竊改善（一）

漢太邱長陳實在鄉里平心率物里中有爭訟者必來就正曉諭曲直退無怨言且曰『寧爲刑罰所加毋爲陳君所短』嘗有盜夜止樑上實起秉燭集子弟訓之曰『人不可不自勉不善之人未必本惡習以成性遂至于此樑上君子是已』盜大驚投地請罪實徐曉之遺絹二疋令其自改自此化及一縣年八十四卒生

二子俱賢德。長元方次季方有難兄難弟之稱。子孫世多顯宦。

感竊改善（二）

漢王烈字彥方器識過人。善于勸化。里中有盜牛者被執。曰：「刑罰是甘。乞不使王彥方知之」。烈聞。使人謝之。遺布一疋。勸其爲善。後有老者遺劍于路。一人見而守之。老者尋至。還之。因以事告烈。烈使推求。乃先盜牛者。

令人感悔

海門崔鑛以稅銀五百付鎔工。工欺其無證。負之。鑛變產以償稅。王端毅爲守廉。得其實。使鑛訟工。對曰：「鑛家已破。訟之是又破一家也」。工聞而感悔。舉前金還之。鑛子潤孫崑曾孫桐相繼登第。

不念舊惡

熊朝弼與秦國輔同官吏部。熊爲文選司。秦爲驗封司。兩人交情甚密。時屆大選。尚書問已銓者若干名待銓者若干名熊全然莫應。秦代爲登答。一一詳明。尚書甚喜。大加誇獎。熊心懷嫉忌。從此事事與秦爲仇雖同盤飲食。同案辦事。不啻敵國。居家每憶前事。常撲案大怒。其子諫曰：『同官如弟兄。些小過失。可以相忘。』熊曰。『彼於堂尊前辱我。何啻撻諸市朝。此怨安得不念。』子不敢再諫。越歲餘。熊轉刑科給事。秦轉侍講。時當秋爽。退朝無事。諸翰林。相約至酒園。演長生殿戲。文忘係忌辰。被熊訪知。曰：『二載之怨。可藉此洩矣。』即上疏糾劾。指秦爲罪魁。奉旨。秦革職。餘降調。秦有去官詩云。『可憐一夜長生殿。斷送功名到白頭』之句。熊一日上殿。奏事。舊怨未平。語侵前尚書。上惡其詆毀大臣。降旨切責。尚書查出熊掌文選時。營私數事。臚列奏聞。上即着部究擬具奏。熊百計央當道。向尚書求情。尚書曰：「吾非記小怨者。但渠欲我忘情。渠何不忘情於秦國輔耶。」竟議革職。即日驅出都門。適秦原官起復進京。途中相遇。秦不提前事。握手敘舊。厚贈盤費。熊謂其子曰：「當初不聽汝言。致貽今日之愧悔。無及矣。」

不學不是

宋王旦在中書。寇準在密院。中書印偶倒用。寇公勾吏人行遣。他日密院印亦倒用。中書吏人呈覆。亦欲行遣。王公曰：「汝以前日密院行遣是否。」曰：「不是。」公曰：「既不是不可學他。」

不訐人私

蘇頌在杭州。人有以私事囑公者。其人後居言官。懷怨詆公。或勸其上昔日書。公曰：『訐人之私。吾豈爲之』終不爲發露

不肯害人（一）

趙方崖祖次山公嘗家居。一販夫以贗銀三兩易穀去。越數日。公以數銖買一豕。既而別有所售。方知其贗。亟命訪鬻豕者。以眞金如數償之。并索僞者投之江。曰：『勿留以誤他人』鬻豕者來謝。公曰：『吾方懼汝之憾我也。又何謝』公享年八十餘。及見方崖舉進士。官御史。累封贈至二品。

不肯害人（二）

陳堯佐有惡馬不可騎。一日入廐。不見馬。問之。則已售之矣。公曰：『是移禍於人也』亟令還價取馬。

事師篇

（一）善例

立雪程門

宋游酢楊時師事程頤于洛。一日。二子侍側。先生瞑目。二子不敢去。及出門。外雪深三尺。

執禮惟謹

山陰唐彬初從會稽章瑄學。嘗令課經義。瑄以其不經意也。作色令改。再進。復拒。如是者三。至見擲地。而容色自若。瑄乃曰：「是子可教矣。」徐取稿點綴數字。曰：「子文已佳。」未幾。與瑄同登第。彬至御史。歸。瑄猶未受官。彬執弟子禮惟謹。

救師危難（一）

明正統間。祭酒李時勉忤王振。被囚。太學生石大用具疏請代謫銀臺。銀臺懼之以法。石曰：『死生以義。何懼之有』。疏入。蒙詔並釋。此直救之危難。敢慢之平居耶。

救師危難（二）

喻南强從陳亮遊。時當事欲排善類。指亮爲奸。非法煆煉。門人畏不敢救。南强義形於色。謂先生無辜蒙罪。吾曹爲弟子。宜激昂慷慨以赴之。而乃匿影收聲。爲自完計。非士類也。乃走東甌見葉適。極言亮寃狀。適曰：『子眞義士也』。即秉燭作書付之。遂持書徒步走越。覆諸臺宦。訟言不忌。卒白亮寃。

爲師伸寃

後漢鄭弘師同郡焦貺楚王英案貺引累被捕途中病亡妻子繫詔獄諸生故人皆變姓名以逃禍弘獨髡頭負鈇鑕詣闕上章爲貺訟冤顯宗卽赦其家屬弘躬送貺喪及妻子還鄉由是顯名

獨不畏禍

後漢廉范受業于薛漢漢坐楚王事誅故人門生莫敢視范收斂之吏以聞顯宗大怒召范入責范曰「臣愚戇以爲漢等已誅不勝師生之情」帝貰之由是顯

敬之沒後（一）

宋彭汝礪少師倪天隱及官保傳卽迎天隱於齋閣猶執弟子禮甚恭天隱死母猶未葬明年妻亦死公爲葬其三喪嫁其女於同年進士宋渙此直敬之沒後忍慢之生前耶

敬之沒後（二）

顧潤之嘗從俞觀光學。俞無子。嘗語人曰：「吾昔寢疾。潤之侍湯藥。情同父子。醫爲感動。弗忍受金。我行且老。必託之以死後。」疾革。趨舟歸潤之舟。次尹山而卒。明日至檇李。潤之奉尸殮於家。衰經就位。士人爲觀光來者。潤之拜之。明年葬於海鹽近顧氏先塋。歲時祭享惟謹。或問殮於家禮歟。潤之曰：「吾聞師哭之寢」。又曰：「生於我乎館。死於我乎殯。非我殮之。則將尸諸草莽。生服其訓。死而委諸草莽。仁者勿爲也」

敬之沒後（三）

陳希亮少從鄉人朱輔學。後亮登第歸。而輔已死。母子困甚。亮感師恩。以百金贈之。又以女妻其子。而贍師母終身。一夕忽夢輔謝曰：「我妻子兼受厚恩。無以爲報。惟在陰司祝汝耳。」後亮官至三品。子孫科第不絕。

（二）惡例

捲書徑去

錢塘都姓者。貧頗敏。受業張某之門。每逢課藝。師直筆刪改。都私計曰：「偏我文不佳耶。腐儒依我輩爲生。我若歸彼。又闕脯修數金矣。」捲書徑去。明日翻卷。不識一字。後竟死於非命。

侮慢師長（一）

新安汪道會。天姿穎異。過目成誦。八歲卽能文。但自恃其才。侮慢師長。一日呵欠。口中忽跳出一物。形如人指。汪曰：「汝本狀元。因侮慢師長上帝已削去吾亦不隨汝矣』言訖不見次日翻卷不識一字窮餓終身。

侮謾師長（二）

江右老儒魏遐昌以授徒爲業有故人子富新者年十二家貧母寡無力讀書遐昌見其聰慧憐而教之與諸生同肄業不但不取脩脯且歲時伏臘每有周濟新年十七入泮卽有傲容遐昌以子弟畜之不介意二十登賢書乘軒拜客過遐昌門不一顧有本處某紳生辰衆賓畢集紳以新係科目遜之首席遐昌居末座新佯爲不知談笑自若旁若無人遐昌萬不能耐責之曰『爾何慢師至此』新笑曰『昔爲師徒今分貴賤矣老翁當怪自不長進毋過求虛文也』衆賓惡其太狂拉遐昌各散出遐昌氣鬱成病靜

念雖新負義無禮。而其所怪自不長進之語。未嘗不是。病起發憤勤學。是科中式。年六十八矣。時新已成進士。任平樂知縣。遐昌會試聯捷。適倭寇作亂。騷擾廣浙。天子策士問平倭之略。遐昌條對詳明。欽點探花。授御史。巡視廣東。平樂正其所屬。新以貪酷被彈繫獄。應由御史衙門定案。庭訊時。惟伏地叩首。一字不敢辨。遐昌不記前事。仍爲之平反。僅得去官。後遐昌陞禮部尙書。年八十告休。御製詩章褒美。誕日冠蓋盈庭。新亦與席。執弟子之禮甚恭。有先時在某紳家曾聽新狂言者。抗聲曰：「昔爲師徒。今分貴賤矣。尊官何必過禮」。新汗流滿面。逃席去。終身不齒於人。

侮弄師長（一）

常州淨因寺有僧大省。性頑劣。師智圓屢訓誨之。因懷恨在心。侮弄其師無所不至。智圓好潔。床蓆間時加拂拭。大省乘其熟睡。以糞汁塗其鼻。智圓醒。聞有臭氣。四處展抹。良久方知臭在鼻端。又寺廁邊有枯樹一枝。智圓常以手扶樹大解。大省從根鋸斷。覆以沙土。智圓不知。仍用手扶。墮入廁中。幾傷性命。後知是大省所爲。欲痛責之。大省向佛發誓曰：「此事若我爲之。死後落餓鬼道。永入阿鼻」。又於夜間裝惡像以唬其師。知圓無奈。另遷別寺。大省乃得舒暢。暗賣院田。圖作還俗計。其徒恆心尤狡獪。知大省素慕周姓之妻。乃與周計曰：「吾師現有賣田銀二百兩。若設美人局誘之。可探囊得也」。周應允。故令其妻見大省。以眉目送情。且挑之曰：「屢欲邀師到寒舍便齋。奈拙夫時刻相守。若得伊出門。則願可遂矣」。大省不知是計。遂落套中。見周曰：「君何不出外生理。株守奚爲。周答以無本。大省借銀十兩。周卽束裝登程。妻設茶菓邀大省。見面卽欲無禮。妻以計脫。忽聞叩門甚急。是夫聲音。妻故作慌忙。藏大省於橱。加以鎖。夫入曰：「適間之銀。被債主索去。無奈只得歸家。」至次日午後。大省腹餒欲死。聽其徒來周家問曰：「爾見吾師否。昨日早間出門。至今猶不見回。未知何適矣。」周命妻至廚房煑茶。自出外買菓。大省於橱縫中望見恆心。呼至前。囑令設法速救。須臾周回。恆心欲買其橱。周曰：「橱內有怪。須銀二百兩方賣。若無此價。則放火連怪燒死。」恆心如數交銀。暗中平分。將橱抬去。大省饑己兩日。又受無限驚嚇。出橱卽昏暈。點水不下。是夜隕命。應餓鬼之誓。恆心得銀。嫖妓被官查拏。斃諸杖下。

侮弄師長 (二)

杭州生員鄒達自恃聰明。受業塾師。輒以古字微文問師。不能答。卽去之。凡事數師。皆謂師莫已若。年四十不第。日放蕩於西湖山水間。不復以舉業爲事。友諍之。鄒曰：「吾不屑科第耳。」遂以諸生終其身。

同學篇

(一) 善例

厚待同學

陸參政孟昭居家。一日送客出門。見一乞人。乃少時同窗友也。因執其手曰：「子何一貧至此乎。」卽延之入室。沐浴更衣。與同飲。

食者十餘日友愧求去公送至一室謂曰『爲君置此器用皆備』又贈米十餘石銀二十兩曰『聊以爲生勿浪費也』噫他人有陸公之勢則視故交如糞土矣如此厚道者誰哉

互爲僕從

韓億靈壽人少與李若谷同學又同赴試共一被一氈每出謁互爲僕從李先登第授榆社縣簿將之官李自爲其妻控騾韓從後爲負一籠既至界惟餘錢八百各分四百一哭而別明年韓亦登第後皆至參政韓七子維絳縝等皆貴顯

師事同學

宋潘叔度與呂伯恭同年進士潘年長自視其學非伯恭　即執弟子禮而師事之略無難色朱子稱之

衞同學妻

明鎮海汪一清嘉靖辛酉廣東張連作亂汪以諸生爲所獲已而賊執一婦至汪視之則同學友人妻也因紿賊曰「此吾妹也請無汚之以待贖否則吾與妹碎首於此若曹何利焉」賊因置之空室中已逾月始贖去汪後仕至九列

教同學子

錢塘張召生與蕭山潘鷟秋同窗砥礪相得甚歡一日潘病篤惟一子兆桂寄託無人長歎久之亟請召生語以故張首肯迨潘卒張悉代理家務喪葬畢即率潘子歸家教養與已子無二兆桂苦讀成進士事張如父焉

侍同學疾

明成化間吳獻臣平生篤友誼。在太學。兄事羅玘。玘病痢。會其僕死。公爲煑粥負之如厠。一晝夜十數往。及瘥。玘語人曰：「四十年前。生我者父母也。四十年後。生我者獻臣也。」後同登進士。官至工部尚書。

（二）惡例

妒忌同學（一）

龐涓孫臏俱學兵法於鬼谷子。涓仕魏。自以才能不及臏。乃召至魏。以官尋刖其足。使成廢人。臏佯狂得免死。齊使者竊載以歸田忌。進之威王。以爲軍師。時龐涓伐趙。勝之。齊欲救趙。臏計疾走大梁。攻魏。還師與戰。大破之。後涓伐韓。臏又伐魏以救韓。致魏兵於馬陵萬弩俱發。龐涓乃自刎。

妒忌同學（二）

李斯韓非俱事荀卿。斯之才能不如非。秦王見韓非說難書。每恨不獲見非。及韓王遣非使秦。秦王與語大悅。將用之。李斯懼其奪寵。譖之下獄。非欲自陳不得見。竟死。後李斯爲趙高所譖。亦欲自陳不得。乃死。識者以爲天道好還。報應不爽云。

妒忌同學（三）

郭尚書贄初作賦有名。同學李勉忌之。飛布謗語。後贄竟登第。及再知貢舉。勉以明經充選。詔下之日。勉甚愧悔。

妒忌同學（四）

淸乾道間。劉生與徐生同結省課。約在棘闈中交卷時。互相檢察。

劉見徐文字勝已乃佯擠人叢中墮卷於地紿徐曰：『子卷已失矣奈何』徐泣而尋之俄有一吏出諸袖中還之曰：『適見人擲地上因收置耳』是科徐中式劉終身不第。

(六) 交友篇

不負友托(一)

漢朱暉宛人也同縣張堪於大學中見暉甚重之堪一日謂暉曰：『欲以妻子相托』暉逡巡不敢對及堪亡妻子貧困暉周視厚贍之子怪問曰：『大人與亡父無深交何乃如此』暉曰：『堪翁嘗有知己之言暉心許也』

不負友托(二)

京山郎名德忠厚不欺有友病篤慮其子不肖密以千金付德囑曰「我子必敗吾家俟其窮極飢寒將死然後酌濟之」越數年其子果敗盡家業困窮至極德呼至詰之曰「爾家原富何如此」其子羞慙無言德曰「我欲惠汝恐仍浪費奈何」其人指天爲誓立改前非德先少與之幾次窺察果然改過乃盡以千金與之並言其故其子感泣果改邪歸正後德之子仲達官至尙書

爲友存孤（一）

宋尹師魯以貶死其子朴方襁褓韓魏公視之如已子既長奏聞於上朴有過乃掛師魯遺像哭之朴改而後已

爲友存孤（二）

明馬世奇與王德輝爲友王爲仇家所誣死子甫周歲煢煢無依

馬殫力維持二十載。夢神告曰：「汝本不應貴。以有撫幼功。當令魁多士」明年果狀元。王子亦得預選。焭即煢

爲友存孤（三）

趙化林與同會友劉景相善。一日景病危。延林至臥榻。泣曰：「我妻年少。聽其改嫁。但子三歲。女十歲。今託與兄照管」林曰：「吾舌耕不能自顧。恐負所託。如同會中某某家俱富。何不託之」景曰：「富漢不知窮漢苦。何肯爲人存孤。惟窮人多仗義。故相託耳」林歎曰：「爲此等事。在富家人原少。吾實窮。勉爲之而已」後景死。林以嫂事其妻。勸其守節。將所得束修。頻頻帮助。擇一佳壻。嫁其女。又盡心教其子。未冠入泮焉。一夕夢神曰：「汝爲友存孤。可謂至難。世人難得者科名。今錫汝子矣。」林子年十八。鄉會聯

捷。

養友家屬（一）

倘霖爲巫山令，邑尉李鑄感疾遽困，霖請所託，尉託之以老母少女。及卒，霖剖俸送其母，并函骨歸河東，且嫁其女於士族。一夕，夢尉拜泣曰：「公命無子，鑄感恩，力請於上帝，今爲公子矣。」是月霖妻果孕。明年解官歸，每遇灘險，必見尉隱約立岸上，如指呼狀。將抵荆渚，又夢尉曰：「某明日當生，府公必以小合送。」及生，府公果以寸合貯米，送爲糜粥之需。呼之曰「合」，名之曰「穎」。及長，深仁篤好，官至大理寺卿。

養友家屬（二）

程有才，皖婺邑人，與同鄉諸生胡士佳友善。士佳歿，無子，妻窮老

伶仃不能給朝夕有才每年分粟助之九年不倦曰「恐負我友也」後有才享壽九十餘歲無疾而終

爲友攜妾

秦君昭遊京師其友鄧某昇一小鬟至乃殊色也令前拜秦因指謂曰「此吾爲某主事所買妾幸君便航可以附達」秦弗敢諾鄧作色曰「縱君自得之亦不過二千五百緡耳何峻辭乃爾」秦强從之迤邐至臨清天漸暄夜多蚊蚋納之帳中同寢直抵都下置舍館婦處持書謁主事主事問曰「足下挈家眷來耶」曰「未也」主事意不懌隨以小車取鬟歸逾三日來謝曰「足下長者也昨已作柬報鄧君使知足下果能不負託矣」相與痛飲盡歡而別秦是年登第子孫顯宦不絕

急友危難（一）

周宣王時。有臣杜伯。非其罪。王欲殺之。伯之友左儒爭之於王。王怒。儒曰：「臣竊明王之過。以正杜伯之無罪。」王殺杜伯。左儒死之。

急友危難（二）

漢荀巨伯。探一友。適友病。值賊兵攻城。本家人皆逃避。荀不忍去。及賊至。問曰：「大兵至。一城盡空。爾何人。敢獨留於此。」荀曰：「不幸友病。不忍棄之。願與同死。」賊慕其義。反護持焉。

急友危難（三）

後漢隴西太守鄧融。備禮謁廉范為功曹。會融為州舉劾。范知事譴難解。乃托病去。范至洛陽。變姓名。為獄卒。范侍左右。盡心勤勞。融怪其貌類范。曰：「卿何似我功曹耶。」范止之曰：「君瞀亂耶。」

』融釋出困病隨而養視及死竟不言送葬至南陽畢迺去

急友危難（四）

唐中丞李夷簡彈楊憑貪汚僭侈貶臨賀尉親友無敢送者徐晦獨至藍田與別權德輿謂之曰：『君送楊臨賀誠厚矣毋乃爲累乎』對曰：『晦自布衣蒙楊公嘉獎今日遠謫豈得不別』德輿甚嘆服之後數日夷簡奏爲監察御史謂曰：『君不負楊臨賀肯負國乎』

急友危難（五）

明楊椒山劾嚴嵩被寃下獄諸官皆畏嚴不通來往惟徐子與時常具酒食相對泣下楊曰：『君勿頻來恐被連累』徐曰：『所貴爲友者正在此時吾已置此官於度外兄毋慮焉』

急友危難（六）

江文輝往省科試。有友馮某途中溺水死。諸同伴以試期甚迫。皆棄之去。江一人獨留爲之撈屍殯葬。事畢乃去。及至省。試期已罷。人笑其迂。江自若也。次科連捷。

舍生全友

春秋時羊角哀左伯道聞楚王賢。往事之。道遇雨雪。計不能俱全。乃併衣糧於角。自入空柳中死。人稱爲死友。

舍名全義

唐白敏中在長慶間。王啓再主文柄。意欲以第一人處之。嫌其與賀拔惎爲友。因密令親知述意。俾與惎絕。既而惎造敏中。辭以他適。敏中躍出曰：「一第何榮。至輕負至交」。具以實告。相與歡醉或語啓啓曰「吾比得敏中今當更取恭矣」遂取恭第一敏中第三。

忍飢濟友

楊州興化韓樂吾家素貧適歲饑貧難自給一日止餘米二升五合適一友人絕粮欲分其半與之妻曰「如明日何」樂吾曰「吾等是明日死彼乃以今日死」遂分贈之齊人饑乏之急者鑒此。

代友遠使

狄仁傑爲幷州法曹參軍鄭崇質當使絕域母年老且病仁傑曰：「寡母在家豈可使有萬里之憂」詣長史蘭仁基請代行仁基高其誼遂不遣時仁基素與司馬李孝廉不協因相謂曰「狄公

爲朋友如此。吾輩可不愧死乎。遂相歡好。

交締刎頸

廉頗與藺相如同事趙。藺位居頗上。頗怒欲辱之。藺每引避。人皆恥之。藺曰：「秦不敢加兵於趙。以吾二人在也。吾所爲先國家。後私仇也。」頗聞之。肉袒負荆請罪。卒爲刎頸交。

義如膠漆

漢雷義舉茂才。欲讓陳重。刺史不許。義遂佯狂披髮走不應命。後舉孝廉。同拜尚書郎。人語曰：「膠漆自爲堅。不如雷與陳。」

始終盡誼

元程思廉與人交。有始終。或有疾病死喪。問遺賙恤。往返數百里。不憚勞。仍爲之經紀家事。撫視其子孫。待宗族尤盡恩義。好薦達人物。或者以為好名。思廉曰：「若避好名之譏。則人不復敢為善矣。」

麥舟付友

范文正公遣子堯夫歸蘇。取麥五百斛。舟次丹陽。見故人石曼卿言三喪未舉。堯夫盡以麥舟付之。既歸。文正曰：「曾見故人否」堯夫以曼卿三喪對。文正曰：「何不以麥舟付之。」曰：「已付之矣。」

優館讓友

慈谿二友相善。同往吳江覓館。甲得修儀九兩。乙得修儀六兩。乙言兄止尊嫂。九金有餘。弟則上有父母。六金不足。甲俛思曰：「然」力以己館讓乙。而自赴小館。後偶於床下拾一殘書。尾有抄外科秘方幾個甲識之至冬還家路見盛僕幾人倉皇尋醫云「主人山東布政將赴任忽患背瘡痛楚欲絕」甲念前方正合此症隨往治之而愈布政謝以百金又薦之入泮

持金葬友

劉岑守維揚有故人子以父未葬爲請詰以所需若干子歷歷具陳岑曰：「且留限二月」密使人持金往辦之往返還報始與說曰「喪己舉矣子可以歸」岑語人曰：「此子氣太爽得錢必不以親爲重不若留此而畢其事先友之志酬矣」

爲友恤家

唐許棠久困名場十年不得歸故鄉音問杳然値馬戴佐六同軍幕棠往謁之一見如舊識留連旬日惟詩酒而已許未嘗有所請

戴未嘗問所欲。忽一日大會賓客。命使者以棠妻子平安家信授之。棠驚愕莫知所自來。啓緘視之。乃是戴潛遣一价以三百金恤其家矣。棠不覺泣拜。此濟人窮途之急者。

罄囊與友

李亶誠江西臨川人。少時極貧困。嘗除夕避債族人家。值其家爲獻歲之供。就其歲盆溫火。爲奴輩所斥。負氣出。以一袱一傘謀食於粵西。稍得贏餘。而素性任俠。隨手輒罄其所有。後隨客輾轉至交趾。市肉桂。歸售於兩粵間。往返數四。得八千金而歸。途過太平郡。丞某素所善也。見其顏色慘沮。詰之。泫然曰：「我權某縣時。因公挪移庫項八千金。今爲新任所揭。被檄至省。行將參革監追。身家性命。均恐不能保耳。」翁曰：「吾所携囊中金。適符此數。君可將去無戚戚也」丞曰『君半生辛苦始得此則素手而歸我何以安』宣誠曰『我無此金可圖再舉君無此金則身陷不測將有不忍言者矣』竟委金於丞疾馳而去丞得金事遂解宣誠歸乃改爲猗頓之術不數年富甲一郡其長孫春湖先生早歲成進士以翰林出身官至侍郎嘗典試閩中督學浙江

解銀贈友

海甯王西銘貧困時除夕缺薪水向本家告貸不可得又直大雪妻孥共臥土炕閉門待斃有老友鄒兼三適過其門見其家燈火全無聲息俱寂呼出問之大生憐憫身邊有銀一兩解而相贈一家得活王深通數學隨軍出征占驗有功主帥題授同知數年陞大位爲顯宦族衆到任所干求者源源不絕王不記前事量其豐

嗇。各爲資助。有遠房族姪來。投王。並不認識。但念係本支。留往數日。贈銀四兩。布四疋。又爲整理衣服。姪嫌其少。求貸五十金。方足用。王笑曰：「吾族千丁。一人五十。須五萬金。我之力量能辦此否。」不允其請。時王一子殀殤。姪出署至大門前。呼王之名。咒罵曰：「爾無子絕嗣。猶慳吝薄待本支。但願爾生生世世俱是如此。」是歲王正室生子。遣人回籍告廟報喜。族衆俱來作賀。前咒罵之姪亦在內。王治酒大會。遜向年贈金老友首座。對衆言曰：「諸君曾記某年除夕下雪時乎。我向某借數十文不與。又向某借數升米不與。水源木本之誼安在。若非鄒翁慷慨贈金。我合家已作溝中瘠矣。今我僥倖居官。君輩到此。雖未飽槖。亦無虛回。還咒我無子絕嗣。我今有子矣。君輩還能再咒否。」乃出千金與鄒爲壽。姪慚愧遁去。

析產全婚

淸順治巳亥。維揚陳某少與同里三人結異姓兄弟。三人中陳最長。仲止一女與季之子訂婚後季死。家甚貧。仲欲渝盟。陳每勸止之。一日入城。遇故人已歿者。曰：『吾在冥爲勾攝隸。昨奉牒子名與焉。速歸料理。兩日後余當至』陳念生平未了無如季子婚事。急歸延兩家子女至。語仲曰：『汝所以難婚季者。以其貧也。今析吾產二。與季之子共之。則若女可歸矣』立取產籍均剖面授。卽其家合巹。曰：『吾待此以瞑也』越三日。見前隸來。陳曰：『行乎』曰：『不然』上帝以君析產全婚。特命延算。示褒矣』言訖而滅。陳果以高壽終。

友至瞑目

侯無可與申顏友自言不可一日無侯君或問之曰「侯君能攻人之過一日不見則吾過不自知矣」一日顏病侯徒步千里爲之求醫既死目猶不瞑人曰「其待侯君乎」侯至撫之而瞑顏無子不克葬侯君鬻衣葬之顏有先世數喪未葬比死以爲恨侯君力爲營辦皆葬焉又撫嫁其孤妹無可官至中丞

力諍友過

三國呂岱薦徐原爲御史岱有過原必力諍之後徐死岱哭甚哀謂人曰「徐原是我益友今死矣吾何由得聞過哉」

勸友歸正

清揚州錢道生幼喪父母又無產業見有無賴棍徒羣聚謀盜某

商家。道生意欲同往。有友陸志潔素行端方見其與棍徒聚語私挈其衣至無人處告之曰『做人第一要學好這等無賴人切不可交貧富是前生注定倘若坐不肖事錢財入官性命不保可知上有天下有地明有日月幽有鬼神鑒察善惡不如腳踏正路還有個出頭日子』道生羞慚是夜閉門不出三日後商家被盜地方官緝獲棍徒七人一併治罪道生驚悟自後出入常與正人相處宜興蜀山金鶴齡無子見其誠實贅之為壻盡以家貲付之此雍正元年事。

不忘友恩

漢張蒼從沛公攻南陽失律當斬解衣伏鑕身大肥白如瓠王陵識其非常人乃言於沛公赦勿斬復用為常山相蒼德王陵後至

封候父事陵陵死蒼爲丞相休沐常先朝陵夫人上食然後歸家至陵墓亦然人皆以蒼爲賢

受誣不較

明王華居官時人以他人事誣之或勸之辯白曰「此吾同年友事若白之是我訐友也」竟不辯後其子新建官京師聞士論猶爲此事紛紛新建欲具疏奏辯公馳書止之曰「汝以此事爲父恥倘攻發吾友反爲吾一大恥」遂止寧損己名不揚人過豈不超出尋常萬萬乎

不與友較

明宏治間浙江許容能文章恂恂自處未嘗以才智先人時學院試士有友盜其文考居第一揚揚得意逢人自衒久而忘其所以

在客面前亦作矜張語。衆友代爲不平。羣欲面訐之。許止之曰「文之遭際。關乎運之否泰。彼運應居首。與文何涉。且並非吾文。諸君切勿錯認」。友聞之。肉袒請罪。且索其窗稿。許仍檢佳者與之。是科七題。全遇。友得中式。許反落第。友竟不感。許亦不較。後友選山東滕縣尹。許適赴北闈。過其地。泊船。友出拜客。見許。佯爲不認。回衙。著鄉地驅逐。浙人不許客留在境。許原無抽豐之意。一笑而已。到京登第。欽點山東巡按。友無面相見。告病謝職。許慰留之。竟不提前事。相待如初。

約期不爽

漢張元伯與范巨卿二人。善友。同遊太學。告歸。巨約二年當過拜尊親。至期。元伯具雞黍待之。母曰「二年之別。千里之約。何期之審也。』元曰：『巨信士也。必不爽約。』巨果至。升堂拜母。盡歡而別。

厚遇舊識

明萬歷間吳郡申時行以狀元宰相乞休歸。冬月微服遊市中。步入小巷。見一老者倚門而曝。熟視之。乃舊鄰王皮匠也。因呼曰：『翁還相識否。』匠驚起曰：『魏巍太師。足履賤地耶。』不覺膝已屈矣。公遽扶之起。入與坐話舊。良久。匠亦忘其賤也。謂公曰：『床頭濁醪已熟。能用一杯禦寒否。』公笑曰：『甚善。』乃相對歡飲。適是日撫軍設酌虎邱。邀公不至。命中軍官蹤蹟及之。長跪致詞。公曰：『貴人酒易得。故舊酒難逢。不能舍此而就彼矣。』使者諾而退。公乃與匠盡醉而別。明日。遣人厚恤其家。公兩子一布政一尙書。孫待郎。曾孫以解元成進士。

擇交審愼

魏傅嘏弱冠知名。不輕與人交。是時何晏以才辨顯于貴戚之門。鄧颺好徒黨。鬻聲名于閭閈。夏侯玄以貴戚子有重望爲之宗主。咸欲求交于嘏。嘏輒避之人問其故。嘏曰：「太初志過其量能沽虛譽而無實才。何平叔言遠而情近。好辨而無誠。所謂利口覆邦家之人也。鄧玄茂有爲而無終。外要名利而無關鑰。此三人者皆敗德也。遠者猶恐禍及況昵之乎。未幾三人相繼族滅親友連坐者甚衆。

擇交宜愼

人之品行風習。及其議論。往往不覺不知受件已者之所陶鑄。我當以我之善益人亦當以人之善益我擇朋友愼交遊至爲要事少年之人羣居偶處習於善則善習於惡則惡如磁於鍼親和吸引可不愼歟與朋友往來情意相孚聲氣相應不可不擇絕好之模範否則寧獨居而無偶英人悉田寒曰『人或較前爲善或較前爲惡此非他故由或與善人相接或與不善人相接而已』西畫家比達立里不以惡畫觸於目恐此惡畫傳染於其筆人之言行亦然慣見汚辱之人及與下流之人爲伍自不免與之俱化而同氣一體矣

交友不愼

魏劉偉與魏諷善兄劉廣戒之曰『交友在于得賢不擇人而務合黨非聖人輔仁之義也吾觀諷不修德而專以鳩合爲務此攬

世沽名者也。其勿與通。』偉不從。後及于難。

設計害友

五代時。閩中國計使薛文傑與內樞密吳英有隙。一日閩主鏻召巫徐彥視鬼宮中。文傑先語英曰『主上疑卿權重。卿可以疾告倘有勑使來問。當以頭痛對。吾爲卿言之』英允之。文傑卽囑彥云『英將謀不軌。上帝以銅釘釘其腦』文傑令鏻遣使驗之。果以頭痛對。鏻信而殺之。時英久典閩兵。聞英被誣死。無不切齒。適吳人攻建州。鏻發兵救之。軍皆逗遛不進。必欲得文傑而後行。鏻不得已。以檻車械送軍中。軍士得之。臠食盡骨。

忘恩負義（一）

後唐同光時。有繫盜尉見其容貌非常。囑獄吏釋之。並逃及旦報失囚尉官譴罰。後尉任滿。客遊一縣。見縣宰似盜。試詰之。盜不諱。留其寢食旬日。不入內臥。妻怪問之。宰曰：「某受若人活命恩。愧未報耳。」妻曰：「恐洩之。何不相機滅口。」宰久之曰：「爾言良是。」適尉登廁室。稍聞之。急呼其僕馳五十里。衣裝皆不及顧。夜投村店。喘息未定。方與僕細言此宰負心。相對泣下。忽一丈夫挾一七首從床下躍出曰：「宰遣我來殺公。聞君言。宰實負心。當歸殺之。」出門如飛。二更攜首至曰：「君恨雪矣。」

忘恩負義（二）

容玖淮人。自幼無賴。年二十歲。隻身無靠。乞食於途。遇維揚海福經紀鹽場爲生。見玖伶俐。資以衣食。喚他隨身夥計。越數年。福爲玖娶妻生子。室家寬裕。玖不以爲恩。姤福本大於彼。一日福喚玖

同齎二千金往場派鹽玖於中途喚開莊丁欲殺福不意虎從林中出啣玖頭而去福爲之痛覓骸葬之

忘情害友（一）

周師厚與張商英交好師厚有所餘官酒託商英賣之英即以奏於朝周坐貶後商英以舉子囑舒亶亶曰「是嘗發周師厚者」亦繳奏其簡奪商英官眞所謂一報還他一報也

忘情害友（二）

明陳某未遇時館于豪家與主母通惟同館金某知之常囑勿泄許以厚報後登任屢書約金往及至送居僧寺每有關說輒辭事小一日獲大盜數人陳語金曰「可矣非三千金勿允」又囑曰「此盜也去則難追銀必須封貯」金信之與盜講定封貯及赴

鞫則變色加刑令供贓物盜以金對陳遂命擒金坐以窩罪斃于獄後陳謁上臺夜登舟聽得鐵鏈聲甚衆從者啓探見陰卒無數慌忙告陳陳惕然就寢夢攝至冥王前跪于門外遥見金某蓬垢流血對質王前王命獄卒以尖刀刺陳頸上血噴丈餘驚覺迴舟歸衙至儀門見金隨之未幾陳頸腫如斗大醫用尖刀開之血噴如夢遂氣絕而死

忘情害友(三)

明嘉靖中長洲丁戌客遊燕與一壯士氣力相悅結爲死友亡何壯士以盜賊倉卒授數百金於丁曰「君以此營救我給我饘粥死則葬我餘任君取之」丁利其金且虞禍及賄吏斃之獄越三年歸吳舟中作鬼語詈曰「爾好負心今得相報矣」因對衆述

所以。舟人曰：「固然。但我等何罪。今殺於舟。奈爲吾累。何不緩之。」鬼唯唯。丁遂甦。及抵家。即反目作聲如前。取鎚自落其齒。家人奪之。則操刀自剖其胸。又奪之。則以指自抉其目。血流滿地。觀者環堵。同里張伯起問之曰：「汝既報寃。何待三年。」曰：「向繫獄。近得赦。始出耳。」丁遂死。

借端訐友

唐武則天時。因天旱禁屠。拾遺張德生男。私宰一羊會僚。補闕杜肅懷肉一片奏之。明日。則天謂德曰。「聞卿生男甚喜。」德拜謝。則天曰：「何處得肉。」德叩頭伏罪。則天曰：「朕禁屠宰。吉凶不與。自後召客。亦須擇人。」出肅表示之。肅大慚。舉朝欲唾其面。肅由此爲人所棄。遂淪落終身。

勢利朋友

昔有費公子。其父爲顯宦。遺產鉅萬。費賦性豪華。不善營運。門客吳廉極意奉承。嘗呼爲信陵孟嘗。豈知財如流水。會有涸時。不數年。家計全空。向之富貴公子。變爲貧窶寒士。破衣敝履。人皆避之。一日鄉人會飮。公子與席。吳廉並不謙遜。竟居公子之左。且顧而嬉曰：「少年不學。老來悔。有時不儉。無時悔。令先尊遺業甚豐。因君爲人不端。至於此極。夫復誰怨。」公子怒曰：「我因好撐臉面。以致蕩產。並非不肖。嫖賭。有玷祖宗。爾昔爲吾狎客。嘗呼我爲孟嘗信陵。今乃爲此言。眞反覆小人。」拂袖而去。時公子之父雖亡。門生故吏。徧滿都中。乃發憤赴京。以門蔭選主事。漸陞郎中。外補郡守。回鄉祭祖。依然富貴矣。賀客塡門。惟吳廉躲避不至。公子使人强激之笑謂曰：「張儀相秦。由蘇秦之一激。我志頹氣惰。已不復有居官之想。非爾相激。焉有今日。理當酬謝。但爾前此席間之言。雖係正論。我得勢之時。何以不說。處順之時。何以不說。只待勢窮境逆。以嬉笑爲怒駡。如此存心。何異禽獸。從此絕交。請勿復敢見矣。」吳廉懷慚而去。自是不齒於人。

奴視友子

漳州周祥與薛純友善。純家寒。止一子。純以暴疾卒。子歸於祥。祥竟奴之。服役奔走。少不如意。即加鞭撻。一日祥自外歸。路逢純。驚曰：「兄何事復來人間。」純曰：「來視吾子。併促兄也。」忽不見。祥汗如雨下。不數日而亡。

（七）居鄉篇

革除官派（一）

王曾狀元及第，郡守父老張樂郊迎。公乃易服乘小駟由他門入。往謁守。守驚曰：『聞君來已遣人奉迎，門司未報君至，何由抵此？』公曰：『不才倖叨上第，方深悚懼，豈敢煩郡守父老致迓，故變服誑迎者與門司而入。』守歎曰：『君眞所謂狀元矣，前程未可量也。』後爲名宰相。

革除官派（二）

明劉善慶官都御史，每寄書戒其子弟族人曰：『諸事只要吃虧。佔一分便宜損一分福澤切勿與人爭競。教子孫學吃虧。學謙讓。定是昌盛根基。教子孫學刻薄。學討便宜。卽是災殃先兆。大凡有一分權勢，卽惹一分罪業。我不能與鄉黨造福，己自慚愧，忍令汝等與人較短長耶。』回籍後，杜門不與外事。親友燕會來約，必赴僅卒一童子或徒行席間遇年高長輩稱呼必有謙坐次必不僭毫無貴介意遇舊相識雖微賤者亦拱手作揖話寒溫縷縷壽九十餘子孫貴顯。

革除官派（三）

太倉王錫爵明神廟首輔其功德彪炳國史茲紀其一二逸事公終身不二色僕與人爭毆膚愬公必責曰「相府一犬人猶另眼看況人乎必汝自取耳」好藝菊多至千餘本偶一里人向園丁乞菊丁曰「明日來」明日入園適公低頭對菊坐其人不知驀拍公背曰「老伯伯昨許我菊可與我」公舉頭其人驚仆公慰諭曰「莫驚莫驚」令童子取幾本送出其厚德類如此子緱山亦榜眼孫奉常號烟客增修世德儉歲卒首倡糶官米兼煑粥濟

民有陸孝廉夢至大寺。見六人挑豆至。黃豆中雜以蠶豆。老僧曰：「此皆烟客翁前生所積也。大善記一。蠶豆小善記一。黃豆凡六擔子」。陸以告人。無不知者。子九人。次子揆第八子掞次房孫原祈皆進士。厚德相傳。累世榮盛。

革除官派（四）

上海潘恭定公。身為尚書。兄弟四人。各以科甲明經出仕。二子一為布政。一為學憲。府縣官謁門。皆未敢陞堂。門閥尊榮。為郡邑冠。公致仕歸。候問鄰里。雖肩挑脚漢。必步至其門。入室作揖。極其殷勤。設酒筵。召會鄰里。肅恭無怠。容鄰里各以誇示於人。公薨。至有哭拜不能起者。

移風易俗

宋司馬溫公忠厚正直。名播海內。其居洛時。風俗爲之一變。士人莫不敦尙名節。羞談貨利。人無貧富。皆知自守。後生欲行一事。必相戒曰：「無爲非義。恐司馬公知之。」

鄉里感化

清張璁路嚴毅正直。勤於敎誨。人皆化之。後生遇於途。皆正立拱手。俟先生過乃行。婦女立門首。遙見先生來。卽返內室。不敢令先生見也。時有盜麥者。衆擒獲。送官過先生門。逡巡不前曰：「王法自甘。切勿令張某知也。」某姓兄佔弟產。官斷未決。乃詣先生質之。甫見面。兄卽抱愧流汗。一字不能對。先生曰：「天下易得者財產。難得者兄弟。」反覆勸諭。二人伏地涕泣。以其產贍族。相讓不取。先生嘗謂人曰：「蒙以養正。聖功也。爲聖爲賢。須自童子始。」

故其教幼學。一舉一動。一語一默。皆有法度。先生易簀之夕。鄰里皆聞鼓樂呵導之聲。如新官赴任。後數月。有陸姓者扶鸞先生神降其家。留詩數十章。皆勸世語。云「吾已奉帝命爲本府錄善司鄉人有功德者。吾得考較而上奏焉。」

邑里化之

晉朱冲隱于深山。居近夷俗。羌戎奉之若君。以禮讓爲訓。邑里化之。路不拾遺。邨無凶人。毒蟲猛獸。皆不爲害。晉書隱逸傳

爲鄉請命

王均亂蜀。朝廷命雷有終將兵討之。欲屠城。時蜀士范滐尙節氣。范璲富學問文鑒太師有名行相率於道迎王師稽首曰：「蜀人善弱。其脅從者特畏死耳。城下日願勿屠戮鋤其凶黨可也」有

終見三人皆慷慨丈夫忘身爲人出於至誠爲之改容曰：「非聞長者言幾妄舉矣」是時全城免於鋒刃三人之力也范氏爲蜀中望族子孫蕃衍文鑒亦享上壽憫人之凶若此固世所罕有但人能於水火盜賊饑寒疾病刑獄逼迫羈旅狼狽一切凶災能發心方便拯之其爲陰德則一也（宋史）

移費利鄉

雲間蔣性中第進士有司舉故事爲立表於門時瞿湖病涉久公曰：「榮吾家曷若以利吾鄉乎」即移所費爲石梁於湖上

排難解紛

明田俊民河間人性和不與人忤見鄉黨有起口角者必多方排解諭之以理導之以情以有事不如無事反覆開陳卒多從之如

是者二十年後姻家有鬼作祟俊民往問其故甫入室鬼曰：「和事老人來也德行可欽何敢於此地侮人」遂不爲祟後俊民享大壽子孫繁盛多登第者

償值解爭

崔煒於開元寺見一乞食老嫗足蹶覆人酒甕被店主毆擊煒趨解曰：「酒值幾錢」曰：「值一貫」煒脫衣代償老嫗不謝而去異日遇諸途乃曰：「蒙君解難吾不敢忘吾善治贅疣今有越井岡艾少許相贈若遇贅疣一灼即愈」其後遇二僧疣垂於耳依法愈之由是知名延之者衆遂富或曰：「老嫗即鮑姑也」由此觀之見人爭訟不當解釋耶

貼錢救寃

梁庚詵篤學好施隣人有被誣爲盜者詵以書質錢二萬令門生詐爲其親代之酬備鄰人獲免謝詵詵曰「吾矜天下無辜豈期謝也」

潛白寃抑

毛仁山未第時與縣令徐公友善徐素嚴厲欲杖殺趙氏五人而非其罪公知其寃値歲薦北上令來訪力爲白之竟從其請時公甚貧令以爲大有所獲而公則毫無所取也五人亦不知其所以得釋之故公之陰德大都類此後登第官至侍郎

不作僞證

劉威居心公正有張茂孫廣二人湊萬金夥開當鋪威與作中越三年廣死其子欲抽本茂不與言原本帶利爾父支使已盡今止

剩八百兩。其子告於官。茂私造一賬。許威五百兩作證。威曰：「於理有悖。我不肯昧心也」。堅辭不受。官審時。爲廣之子直證。後威生一子。官至州牧。

馳書救人

羅綸解官。歸道經蕪湖。與關使項東甌有舊。賈人楊姓。誤犯重辟。願饋千金求解。力拒之。旣而思曰：「此賈不生矣」。乃貽書東甌。潛爲釋之。賈竟得生。金卒不受。向使臨危不救。豈不有虧大德。乃一轉念間。而人之性命隱活於公之筆下。滿腔仁義。敝屣千金。豈非世俗所難能。了凡曰難能而能。斯爲可貴。昔張繡翁。舍十年所積之錢。脫人於獄。而活其妻子。天旋以貴子厚報之。救人一命。勝造七級浮屠。信哉。

吝片害命

太倉王文肅公居鄉。素矜飭。痛子夭亡。祈夢示於于忠肅廟。夢忠肅曰：「汝記吝一名帖。害二十七人命否」。公憫然。蓋前有巡道某。誤執海商爲盜。衆憐其寃。求公一剌解救。公不允。二十七人皆拷死。公至是大悔曰：『吾此事不及羅念庵遠甚。然本意正欲養高。不謂陰羅天譴。可見方便之事。力能爲之。當隨在行之。不可避嫌矜節。見善而不爲也。』（注）念庵羅倫字也。

貪財請託

徐鉉竄邠州。死。家人挈喪歸。道出一邑。時索綳爲宰。忽一官自稱江南放叟徐鉉。來謁曰：『僕有所懇。向在江南爲學士時。嘗受人寶帶。爲囑執政。更定一獄。雖事不枉法。然不免貪財。罔上之罪。今旅魂過海神廟下。恐不相容。君爲邑宰。統隸版籍。乞爲吾謝之。必不拒也。』言訖不見。綳異其事。乃爲禱謝。柩舟隱渡。是夕鉉復來謝焉。

（八）還金篇

還金免溺

吉州城內徐姓者。遣婢送金釵于城外親戚家。中途墮地。城守卒李雨拾而隨婢走。見婢入某家。倉皇即出。將投溺。急止之。問其故。婢泣曰：『我主母性極酷。令我還入金釵。中途失去。歸家必然打死。不如自溺。』卒乃慨然還之。婢大感而去。後適梅林渡村民為妻。見李持公文就渡。語夫力挽到家。沽酒款待。少頃。聞渡所喧噪。視之。舟已覆矣。李乃獨免。

還金救子

清順治五年三月二十三日。江甯旱西門回子哈九開飯肆。有江浦人。攜囊五十金遺店中。哈七追至江邊還之。別後。得金者至江浦。見大風。覆舟溺者甚多。其人忽思曰：「譬如哈九不還吾金。且將此作一宗好事。」遂呼漁舟曰：「救一人者予五十金。」漁舟爭救止得一人視之即哈九子也。

還金增壽（一）

長洲縣治東有張麻子者。爲舟子。甯姓篙師。歷有年矣。麻子家貧而鰥。十年前。偶如廁。見一人倉皇出。遺一囊。啓視之。乃白金數兩也。急追之。其人已入縣應比較。探前銀則烏有矣。號哭訴邑宰云「今日鬻一女。得銀數兩。不意行急失去。」令詫其妄。將加責。麻子亟擎銀至。云：「其銀宛然在也。」令問故。具實以對。深爲嘉嘆。出俸錢三百文旌之。一時傳爲義事焉。越歲。麻子抱疴絕而復甦言頃攝至冥府。見有冕旒南向坐者。傳諭張某有還金一事。功甚大。放回。康熙十八年事。

還金增壽（二）

李郡君最賢。有貨珠老媼遺珠而去。郡君拾之。媼久不至。一日復來。形容枯槁。言及失珠事。結債賠償。憂愁成疾。幾不能起。郡君舉還之。後偶得疾。夢出曠野。至一衙門。見二大官坐堂上。曰：『記得還珠事否。當增二十年壽。』一曰：『得無太多乎。』一曰：『婦人不愛珠寶。無貪心。尤可尚也。』命吏送歸。後疾愈。果二十年而卒。

還金登第（一）

高郵夏封翁遊幕。樂善不倦。晚年歸而營廳。正值上梁。有十八鶴來之瑞。因名其堂為十八鶴來堂。繪圖以懸其中。論者謂當出十八太史之蓉與之芳兩太史胞兄弟也。聞其封翁故貧士。當歲暮時。嘗還某女僕遺失金釵。全活其命。又一日拾得遺囊。中皆黃白之物。心不爲動。於原處堅待。忽一人號泣來言有囊金係爲某官主人辦往京師贖罪者。金不足惜。囊有某大人手書。倘失去主不復生。而我命亦休矣。公驗實還之。其人願以金謝。堅不受。其他隱德尚多。尤奇者兩先生鄉試。錄遺無名。偶如廁拾得遺書。少頃有貴公子倉皇來覓。先生手奉其書。因詢知兩先生未錄事。曰：「是書家大人爲予續錄遺事。予爲二君補名書內」。已而均得續出。而貴公子即前失金僕主人翁子也。恩雖亂施。不期自遇。讎毋浪結。窄路相逢。是科兩先生一傍中式。聯捷南宮。並入翰苑。奇異如此。

還金登第（二）

慈谿王福徵爲諸生時。赴館過溪。得遺金一囊。遂不至館坐而俟之。至晚見一人惶遽前來。王問之曰：「汝有所失乎」曰：「我揭債作本得銀一百七十兩。欲過江買米。脫襪渡溪。遺失於此。有拾得者願分半相酬」王細詢其物色相符。曰：「銀在此」舉以還之。是年卽發鄉榜。中巳未進士。由部屬歷官蘇州太守。致政歸享大壽。

還金登第（三）

衢州范元之六月浴於江。在岸拾得白銀一袋。歸語其子曰：「人以財爲命。此物若是貧人所遺。必自經於溝瀆。枉送性命。吾雖貧。不忍瞞昧。宜還之」子亦歡從。乃携金於岸以待之。果有一婦號泣而至。詰之。婦曰：「夫坐獄將死。賣田得銀。欲救其生。至此失之。

妾亦不願活矣。』范問明還之。婦與分。亦不受。既而鄉里多薄之。謂其現財不取。命薄當窮。范笑而不答。次年父子俱登科。

還金登第（四）

羅倫江西人。赴春闈。宿山東旅舍。僕人於院中拾一金鐲。匿不告。行兩日。公謂僕曰：「路費不足奈何。」僕曰：「無慮。」出鐲告以故。公大怒。欲親賫還。僕屈指曰：「如此往還。試無及矣。」公曰：「此物必婢僕失遺。萬一主人拷訊不獲。必致死。吾甯不預試。不可令人死非命也。」返至其家。果係一婢潑盥水。鐲在水中誤遺者。主母笞婢幾死。夫復責妻不慎。妻憤恚投繯。幸得救。一門如沸。公遽出鐲還之。其家感激。觀者如堵。無不稱歎。即以狀頭許之。急鬻衣趨入都。已二月初四矣。倉皇投卷。遂中式狀元及第。

還金登第（五）

平湖徐辛庵士芬以嘉慶己卯進士入翰林。躋九列。未達時。偕族兄士芳同應鄉試。逆旅中檢一包裹。知爲過客所遺。驗其物爲婦人首飾。辛庵曰：『此宜守而還之。意外之財。勿得也。』其兄漫應之。詭謂辛庵曰：『弟但行。吾當守此。』辛庵信之不疑。遂先行。其兄即挾包裹竟去。先後至省。辛庵問之。設辭以對。無從質證其虛也。旣兄弟同進場。辛庵文不愜意。已絕望矣。及塡榜日。其兄士芳卷已擬中。方寫芳字草頭。忽燭花適爆。落其卷面。亟拂去。已焚其一角。羣謂此人必有惡業。盍易之。或謂榜中姓名已具。如何監臨曰：『此卻無妨。可以洗補。』乃急取備卷易之。及折彌封。則辛庵卷也。於是衆皆喜曰：『直無事洗補。於草頭下添一分字可耳。』

善人獲報之巧如此。

還金登第（六）

陸在新宇蔚文蘇州人。順治乙酉夏至虎邱。見一幼兒啼哭。問之。曰：「九歲。揚州人。姓韓。過江爲官兵衝失。」陸卽裹糧送往。時僵尸滿道。步至鎭江。徧覓韓氏舟還之。是年陸父病篤。夢神告曰：「爾子有還兒之善。增爾壽三十九年。」病尋愈。陸又館於他邑。一日歸。忽有館鄰之婢。奔舟。泣欲相隨。陸拒却之。婢將赴水。急訪其母家還之。并婉勸其主。速擇良配。康熙丙午赴句容。途中。拾銀一包。特留館舍。候失物者至。還之。是科場中閱至陸卷。彷彿見陰兵無數。又忽現金書。三還二大字。房師駭異。卽中式。

還金拜相

唐裴度屢黜場屋。相者曰：「君形神稍異。若不貴。必餓死」。公游香山寺。見一婦置繪袱於欄杆上。祈伏良久。不取而去。公知其忘。侯之。良久其婦果來。問之。曰：「父以罪被繫。特懇人得玉帶一。犀帶一。以贖父罪。不幸失去。禍無所逃矣」。公還之。後相者見之。驚曰：「公陰德及物。前程萬里。非吾所知也」。度果拜相。封晉公。五子皆貴。

還金得官

明尚寶司袁忠徹。過某友家。見一僮。美秀機警。尚寶相之。勸其友逐焉。謂將不利於主。友弗忍也。後數數言。不得已聽之。僮無所歸。夜宿古廟中。見墻角一破衲內裹黃白數百兩。欲取之。忽自歎曰：「我以命薄無故見逐。今奄有此。天其謂我何。因取而待之」。至旦。果有一婦號泣來。四顧徬徨。問其故曰：「吾夫軍也。以事繫獄。應死。某指揮當治之。妾賣貸得金若干。將以獻。過廟少憩。不意失之。吾夫分死矣。」僮細詢其數。皆合。悉還之。婦欲分以謝。不受。遂去。其夫既得釋。念僮之德。遍以語人。某指揮聞而異焉。訪致之。育於家。指揮故無子。遂子之。又數年。得襲職。歸拜故主。嘆曰：「尚寶之術。亦有誤乎。」適尚寶至。使衣故衣捧茶而出。尚寶驚曰：「此童子耶。」主謬曰：「逐出無歸。今復來耳。」尚寶笑曰：「君無戲我。今非君僕矣。三品武官也。形神頓異。必有善事以致此。」僮爲述前事。益嘆尚寶之奇。

還金得金

餘干舵師吳某與其子載商至瑞洪。商去。遺金一袋於舟。吳檢艙得之。懼其子見。乃置爨灰中。子欲發舟。吳故遲延半日。商返覓金。即舉以還商。請均分。吳堅却曰：「吾豈捨多而取少耶。」商呼天拜謝而去。其子恚曰：「橫財入手不能享。乃以還人。」吳笑曰：「吾父子終日操舟。猶不能飽煖。橫財豈易享者。」命其子去其子不用命。乃自運舟。舟旋轉不動。如有物止其舵。因入水驗之。得一筐。內盛二百餘金。遂成富室。

還金得名

梁甄彬嘗以一束苧就庫質錢。後贖苧。于苧束中得五兩金。彬送還寺庫。梁武帝為布衣時。聞之。及踐祚。以彬為郫縣令。將行同列五人。帝誡以廉慎。至彬獨曰：「卿昔有還金之美。故不復以此言相囑。」

還金興家

後唐竇禹鈞燕山人三十無子有家僮盜錢二百千以券繫女臂以償公焚契囑妻善撫以嫁之又元夕拾遺金明旦往候則有因父犯大辟而貸以爲贖者卽還之宗戚有喪不能舉出錢葬之凡二十七喪有女不能嫁出錢嫁之凡二十八人遇故舊窮困擇其子弟可委財者隨多寡貸以金帛俾之興販成立者數十家鄰里待舉火者不可勝數每歲量所入除伏臘供給外皆以濟人家惟儉素無金玉之飾無衣帛之妾後生五子於宅南建書院四十間聚書數千卷延致文行之士爲師四方孤寒志學者厚之廩餼而其子見聞日益博皆登第馮道贈詩曰:「燕山竇十郎教子有義方靈椿一株老丹桂五枝芳」一子儀禮部尙書儼禮部侍郎侃左

補闕。侢右諫議大夫。信起居郎。年八十二。款別親友。談笑而卒。八孫皆貴。范文正公書其事於策。以示子孫。

還金子貴

崑山張立廉曾祖盧江先生。任御史。其父初操一小舟爲業。忽一村翁來僱船。手携一黃布包。問何往。翁曰：『余年老無子。止一女。在某處。賣田得價。携往壻家養老耳。』到岸已晚。村翁竟去。舟返原處。次早掃船。見黃布包提之甚重。張公曰：『此昨老人養老物。性命所繫也。』仍不遠五十里。艤舟到昨上岸處。候至傍午。見翁杖而哭至。張公曰：『汝物在我。來送還也。』翁大感。欲分惠。公不受。生子盧江。登科甲。爲顯官。孫魯得乙丑進士。魯傳初任學傳。後亦居高位。魯唯癸丑會魁。歷任至八閩方伯。子孫克嗣。音所居地。

今名張浦。

還金子貴（二）

張虛江先生之父南麓。因其先世出方孝儒門下。避罪於長洲之唐浦。子孫業農。每以讀書爲諱。一日出外。見路傍遺一囊。挈之甚重。約有三四百金。不敢啓視。停舟岸下。三日見一人倉皇尋至。詢其的實而反之。於是暮年生虛江。其母管夫人懷孕十六月而生。幼時過目成誦。冠弱卽登嘉靖會魁。子孫科第不絕。

此與前條係記載一人之事而措詞略異茲兩存之。

還金孫貴

安化陶文毅公之太高祖伯含。多陰德。當明季。鄉里多嚴自衛。有縛竊匪就溺者。適公過。賊哀呼曰：「公救我。我誓不復爲賊」公為請釋於衆。已慮其故志復萌。乃施小舟於渡口。使濟人以安其生。終公世施舟八。其人俱改行為善。公每出則擕小筐檢瓦礫以利行人。及卒之年。所積瓦礫與屋齊矣。又其曾祖文衡亦長者。雪夜遇有入室盜米者。跡之得其居。乃素識者。寂然而返。終不言其人。沒後三十餘年。其配彭氏偶舉以示子孫。始知其事。猶隱其姓名焉。康熙戊子九月。鄰舍不戒於火。焚燒悉盡。而其宅無恙。其倉在鄰舍中者亦獨存。隔江來救火者。見有紅衣人長袖持扇立牆上。扇之雖牆為之爍。而火至牆而止。彭太夫人盡以倉貯與諸被火者。又其祖寅亮性淡泊無所營。家中落。一日偶步江濱。得遺金俟之。終日見一人倉皇至。面色如土。俯視砂礫中。不勝其戚。詰之則曰：「傭工未歸數年矣。家有老母。今積數年身價將歸養而盡失去。是以悲耳。」叩其金數。悉合。遂盡付之其人。請分半。公曰：「吾分若金。吾不俟若矣。」笑而遣之。其人叩頭去。至其太翁萸江先生。義舉尤多。具見陶公文集中。

不私窖金（一）

興安胥鄭某往鄉催糧。夜宿。似聞隔壁人語曰：「我明日當就烹。若輩幸自愛。毋擾害人。」諦聽之。乃雞母與小雞語也。清晨。謂主人曰：「毋宰雞。飼我。幸饋以生。」胥得雞去。至岑山。雞奮飛入洞。胥迹之。見白金布地。喟然曰：「天賜我乎。我安置此。」遂建橋修路。力行善事。棄家爲僧。守戒律。終其身。

不私窖金（二）

吳江徐孝祥隱居好學。園中樹下土陷。露一甕。缸。啓視皆白金也。

祥曰：「此造化根胡可輕取」。仍掩之。人無知者。逾二十年。歲大飢。民不聊生。祥曰：「是物當出世耶」。啓視依然。日取數錠。糴米散貧。全活甚多。銀盡乃已。及嫁女。惟荊布遣之。藏中之銀。錙銖不犯。子純夫。以明經發解。官至翰林。孝祥壽至九十七。

不取贈金

漢王忳詣京師。於旅舍中見一書生病困。愍而視之。生曰：「我當到洛陽。而忽病。命在須臾。腰下有黃金十觔。願以相贈。死後乞葬骸骨」。未及問姓名而絕。忳鬻金一觔。營葬。餘金置棺下。人無知者。忳後為亭長。有馬馳入亭中而止。是日大風。飄一繡被。墜忳前。忳言於縣。縣以歸忳。忳歸乘馬到洛陽。奔入他舍。主人見之。問何由得馬。忳具言狀。主人怪曰：「此被前日隨旋風與馬俱亡。卿有何德而致此。』忳不獲已。乃言葬營書生事。并其形貌及埋金之處。主人驚慟曰『是我子也。姓金名彥。前往京師。不知所在。卿乃葬之。大恩久不報。天以此彰君德耳。』厚遺忳。忳不受而去。由是知名。舉茂才。子孫皆顯。

不取贈金 (二)

唐李勉少貧。客游梁宋。與諸生共逆旅。生疾且死。出白金。曰『左右無知者。幸君以此爲我葬。餘則君自取之。』勉諾。既葬。密置餘金棺下。後其家啓墓出金還之。勉位將相。所得奉賜。悉遺親黨。沒後無贏藏。在朝鯁亮廉介。禮賢下士。有終始。唐書宗室宰相傳

不取遺物

李約爲兵部員外郎。嘗舟行。與一商胡某舟楫相次。胡忽病革。邀

約相見。既至。以二女托之。皆絕色也。以一夜光珠遺約。次日胡死。財寶數萬。一舟之人。莫不覬覦。約悉籍其數。寄于官。二女立配。將殮。復以所得夜光。納胡口中。人無見者。後胡親屬來理。約請官發視。夜光在焉。時人莫不歎服。約壽九十餘。子孫貴顯不絕。

不私寄金

陶莊敏公文信公之祖也。世居會稽。富而好義。阮瑲過越。與之交厚。王振恨阮驕騎。逮之。阮知不免。密以所蓄二萬金授陶。曰：「吾事敗。君卽取之。」陶裝歸。置井中。後知阮死。出井中金。走白郡守吳某。守曰：「金無知者。卽爾金也。」陶固謝。會歲饑。以半代小戶之逋。以半爲救饑之用。郡縣旌其井爲「還金井」。後子孫數千。科甲不絕。名臣蔚起。

不私遺金

袁崇豫家無儲蓄。而性好施濟。時值歲底。祇有米五斗。有貧友告貸。慨然以三斗與之。元旦食薄粥。妻孥苦饑。皆出怨言。袁曰：「既已與人。追悔何益。爾輩苦元旦食粥。視並無粥食者何如。」又冬月見赤體者。解絮襖與之。歸家有寒慄之色。妻詢得其故。笑曰：「身體髮膚。受之父母。不敢毀傷。所謂孝也。君凍自己之身而恤他人之寒。未免不權輕重。吾有小襖。可速易回。」袁曰：「以小易大。不如勿與。吾身雖凍。而心自樂。卿勿慮也。」乃取小襖着之。一日登廁。見壁上掛布袋。內存白物六大封。約三百金。嘆曰：「財與命連。此時失者。不知作何景況。」一坐於路旁。等至天晚。並無失銀之人。攜歸藏匣中。家人面前。亦不言及。次日復往守候。不覺身體困倦。悟然欲睡。見有神人告曰：「失銀之人。前世慳吝異常。一文不捨。今生爲宦僕。背主私行。奉命採辦。浮開銀三百兩。以圖入己。天惡其貪。故使之中途失脫。彼以不義得之。以忙中失之。乃係天意。彼已不來。無用久等也。」袁醒。自思雖承神語。然不義之財。終不可用。時值年荒。斗米三錢。乃買米百擔。於四城門施粥數日而盡。家下雖極饑餒。並不沾惠。後年逾百齡。鬚眉不改。強健如少時。遇異人授以金丹大道。飛昇而去。

（九）酒色篇

作詩自戒

顧文康素豪飲。一時無敵。職是蚤衰。屈指里中先後享大年者。皆不善酒。慨然作十八飲詩。自節制焉。又列飲酒過失曰：心無節限。一也。財物虛竭二也。衆病之門三也。鬭爭之本四也。裹露披跣同於牛馬五也。傞舞罵坐。人所憎惡。六也。應得物而不得七也。已所得物而遺失八也。匿事盡說。醒則追悔九也。醉中多失。醒則愧慚十也。身力軟弱。十一也。面色變換十二也。心志迷惑。十三也。智慧蒙蔽十四也。不知敬父母。十五也。不知敬鬼神。十六也。不知畏人言十七也。不知畏國法。十八也。朋黨酗虐十九也。疎遠賢善二十也。無慚愧。二十一也。易暴怒。二十二也。不守六情。二十三也。縱色無度。二十四也。恭人擯棄二十五也。罪不畏避。二十六也。俾晝作夜。事業都廢。二十七也。犯名教罪。二十八也。棄捨善法。二十九也。種痴狂因。三十也。

鑒古自警

閩士劉乙因醉後與人爭妓。既醒大慚。乃集古今受酒禍者。以自警。題曰：『百悔經』。遂絕飲終身。

終身不飲

夏璣吳縣人。父嘗夜坐憑窗。月陰中見一白晳少年醉行。父曰：『誰家郎嗜狂藥若此。』逼邇叩門乃璣也。父置不言。後登第赴選。父戒以前日狀。遂遵嚴敎。終身不飲酒。後爲河南道御史。焚黃先塋。撫軍親詣塋前。酌酒半卮以慶。且曰：『榮先矣。可飲此九泉之下。已樂有榮封。少輟戒無傷也。』璣流涕卻之。卒不飲。

悔悟戒酒

宋蔡齊好飲。飲必醉。時太夫人私憂之。一日存道先生過其治所。

戒以詩曰『聖君寵重龍頭選慈母恩深鶴髮垂君寵母恩俱未報酒如成病悔何追』公大悔悟自此戒酒非會親友不飲飲不敢至醉卒爲名臣

豪飲殺身

蘇易簡爲學士平生好飲因此衄血成疾而卒王全爲殿中丞自持量高一日大醉臍裂而死

嗜酒流落

秦浩聰明蓋世讀書過目成誦能詩善畫才情可望大就但性躭麯蘗以盃中之物爲命典衣賣物盡付酒家視父兄妻子漠如也蓋無飲不醉無醉不酗抗父毆兄罵鄰瀆友以至父不以爲子兄不以爲弟親戚朋友見之如猘犬梟鳥遠遠避去所與遊者皆擔

夫牧豎市井無賴。父兄見其人品卑汙。逐出不與同住。僅居茅屋三楹。不蔽風雨。困悴日甚。妻孥饑已兩日。向姊家貸錢五百文。浩以四百五十文買酒。五十文買米。暢飲至夜。醉後逞兇。時妻已解衣就寢。從破被中拽起。欲擲諸河。妻大聲呼救。四鄰驚起。見妻赤身不便上前。呼女眷往救。妻已被淹半死。次日其岳呈送學師。戒飭三十。人皆羞之。彼怡怡自若也。有鄰女秀姑頗有姿色。秦屢次調戲。女投梭拒之。乃乘夜踰垣以入。被其家擒獲。送官。褫其衣衿。重責枷號。猶令其妻日供酒貲。貧不能應。畏其回家淩逼。投繯殞命。後得疎釋。無人偢倸。遂四處流落。數載不歸。後有人傳說在鄰邑鄉間教蒙館。又與鄰婦通。醉後熟睡。被其夫殺而倒埋之。父兄恨其不肖。付之不問。嗚呼。狂藥之不可貪也如是夫。

峻拒美色

明茅鹿門弱冠遊學餘姚寓錢應揚家。錢有美婢。慕茅丰姿。一夕至書室呼貓。鹿門曰：「汝何獨自來呼貓」婢笑曰：「我非呼小貓乃呼大茅耳」鹿門正色曰：「父命我遠出讀書若非禮犯汝。他日何以見父又何顏見若主」峻拒之。婢慚而退。後登嘉靖戊戌榜。官副使。壽九十。

麗色不動

呂獻可家有美婢年方及笄光豔照人客見之曰：「如此麗色公不動念耶」呂正色曰：「彼獨非人世之處子乎而敢輕以犯之敗人終身自造惡孽不仁之事吾不爲也」或曰：「公未置妾留此一使未爲大過」呂曰：「以婢作妾家無規矩不智之事吾不

爲也』爲擇配嫁之。

獨睡丸

宋包宏齋年八十八。以樞密拜登。精神老健。賈似道意其必有攝養之術。問之包曰：『予有一服丸子藥。乃不傳秘方』似道欣然叩之包徐曰『虧吃了五十年獨睡丸』

絕慾早

蒲傳正知杭州鄉老李覺來謁。年已百歲。色澤光潤。有同嬰兒。公問攝養之術。曰：『某術至簡易。但絕慾早耳』

慾事節

太倉張翠九十餘耳聰目明。尚能作畫。人問之。答曰：『平生惟慾心淡。慾事節耳』

慾事淡

錢仲堅年九十餘耳聰目明手足強健生平從事十六段錦人問導引之術仲堅曰『吾由來慾事甚澹三旬喪偶絕慾至今此眞延年要訣其餘導引吐納僅以却病無益於本原也

禁耗精

鄺子元有心疾昏憒如夢聞有老僧能治往叩之僧曰『此疾原於水火不交几溺愛治容而作色荒謂之外感之欲夜深枕上思得治容或成宵昧之變謂之內生之欲二者綢繆染着皆耗元精若能節之水不至下涸火不至上炎自漸愈耳』故曰『苦海無邊囘頭是岸』

藥渣少年

陸天池諫友好色。為寓言警之曰：「某帝時。宮人多得春疾。敕太醫治之。醫請十數少年為藥劑。帝如請。未幾宮人疾愈謝恩。諸少年伏於後。枯瘠無人狀。帝問何物。對曰：「藥渣」。帝大笑曰：「安用留此。棄之街衢可也」。今人於婦人女子無不願為良藥。未久而化為渣。不能常貯藥籠中矣。可畏哉。可痛哉。

國家圖書館出版品預行編目資料

模範人生觀／（清）陳鏡伊編
-- 初版 .-- 臺北市：
世界，2015.08
面；公分． --（道德叢書；1）

ISBN 978-957-06-0527-3（平裝）
1. 人生觀 2. 通俗作品

199.08　　104014576

世界書號：A610-2159

道德叢書之一

模範人生觀

作者／（清）陳鏡伊編
發行人／閻初
發行者／世界書局股份有限公司
登記證／行政院新聞局局版臺業字第〇九三一號
地址／臺北市重慶南路一段九十九號
電話／（〇二）二三三一一一三八三四
傳真／（〇二）二三三三一一七九六三
網址／www.worldbook.com.tw
劃撥帳號／〇〇〇五八四三七 世界書局
出版日期／二〇一五年八月初版一刷
定價／台幣二六〇元
道德叢書全套十四冊，定價二四〇〇元